FOLLE, FOLLE, FOLLE L'ÉCOLE!

CRAYON DE MALHEUR

DANS LA MÊME COLLECTION :

FOLLE, FOLLE, FOLLE L'ÉCOLE!

CRAYON DE MALHEUR

ANDY GRIFFITHS

Texte français d'Hélène Pilotto

Éditions
■SCHOLASTIC

Catalogage avant publication de Bibliothèque et Archives Canada

Griffiths, Andy, 1961-

Crayon de malheur / Andy Griffiths ; texte français d'Hélène Pilotto.

(Folle, folle, folle l'école!)
Traduction de: Pencil of doom!
Niveau d'intérêt selon l'âge: Pour les 9-12 ans.

ISBN 978-0-545-98716-5

I. Pilotto, Hélène II. Titre. III. Collection : Griffiths, Andy, 1961- .
Folle, folle, folle l'école!

PZ23.G848Cr 2009   j823   C2008-906702-9

Édition publiée par les Éditions Scholastic,
604, rue King Ouest, Toronto (Ontario) M5V 1E1

5 4 3 2 1   Imprimé au Canada   09 10 11 12 13

*Pour Judi, Lindsay, Kim, Ajax
et Mad Dog*

Chapitre 1

Il était une fois

Il était une fois – et il est toujours – une école appelée l'école Sudest de Nordouest de Centreville.

L'école Sudest de Nordouest de Centreville est située au sud-est de la ville de Nordouest, laquelle est située au nord-ouest de la grande ville de Centreville.

Vous n'avez pas besoin de savoir où se trouve Centreville, car c'est sans importance. Ce qui *est* important, c'est l'école. Dans cette école, il y a une classe. Et dans cette classe, il y a un groupe d'élèves de 5e année. Et, plus important encore, c'est que, dans ce groupe d'élèves de 5e année, il y a un garçon nommé Henri Tournelle qui adore raconter des histoires.

C'est ici que j'interviens.

C'est moi, Henri Tournelle... et voici mon histoire la plus récente.

Chapitre 2

Le début

Tout commence un matin, après que j'ai pénétré dans la cour de l'école Sudest de Nordouest de Centreville, que je l'ai traversée, que j'ai monté les marches et que je suis entré dans le local de la classe 5B.

Je suis un peu en retard. La classe est déjà commencée.

Mais on ne le devinerait jamais.

M. Desméninges, notre enseignant, est accroché par les orteils à l'une des poutres du plafond.

Il a les bras croisés et son visage est rouge tomate.

Bon, imaginez que vous entrez dans votre classe et que vous voyez votre enseignant accroché par les orteils au plafond, la tête en bas. Vous seriez un peu inquiet. Vous pourriez lui demander s'il va bien ou l'aider à descendre de là ou, à tout le moins, rapporter l'incident à un autre enseignant.

Mais je ne fais rien de tout ça. Voyez-vous, M. Desméninges n'est pas un enseignant ordinaire. On le devine, juste à voir son accoutrement. Avec son veston violet, sa chemise orange et son pantalon vert, il ne ressemble à aucun autre enseignant de l'école Sudest de Nordouest de Centreville. D'ailleurs, il n'agit pas comme eux non plus. C'est une chose que nous apprécions *beaucoup* chez lui. L'école est tellement plus intéressante depuis qu'il a remplacé Mme Ardoise, notre ancienne enseignante.

Aujourd'hui, M. Desméninges m'accueille avec un grand sourire.

—Bonjour, Henri! lance-t-il. Je suis en train d'expliquer comment les chauves-souris dorment.

— Je me suis toujours posé la question! dis-je.

— Eh bien, maintenant, tu le sais, répond M. Desméninges.

Il lâche la poutre, fait un saut périlleux et atterrit sur ses pieds.

— Des questions, 5B? demande-t-il.

Florence Fortiche lève la main.

— Oui, Florence? dit M. Desméninges.

—Aurons-nous un test là-dessus, monsieur? demande-t-elle.

—Sûrement pas! s'exclame M. Desméninges. D'autres questions?

— Les chauves-souris ne dorment donc pas dans des cercueils? demande Olivier Rustaud.

— Ça, ce sont les vampires, Olivier! crie mon ami Jacob Lepitre en s'esclaffant. Tu ne connais donc *rien à rien*?

Olivier plisse les yeux.

— Je vais dire à mon frère que tu as dit ça! lâche-t-il d'un ton menaçant.

— Quoi? dit Jacob. Que les chauves-souris ne dorment

3

pas dans des cercueils? Lui non plus, il ne sait pas ça?

— Non, répond Olivier. Je vais lui dire que tu as dit que je ne connaissais rien à rien.

— Je n'ai pas dit ça! réplique Jacob, qui a toujours réponse à tout. J'ai simplement dit que ce sont les vampires, et non les chauves-souris qui dorment dans des cercueils!

— Arrêtez donc de parler de chauves-souris et de vampires, intervient mon amie Janie Ladouceur. Lucas a peur.

Janie a raison. Notre ami Lucas Latrouille a les yeux écarquillés et il tremble en serrant sa patte de lapin porte-bonheur.

— Lucas, il ne faut pas avoir peur des chauves-souris, le rassure M. Desméninges. Ni des vampires, d'ailleurs.

— Il en a peur quand même, affirme Janie. Lucas a peur de tout.

C'est vrai. Lucas a peur de tout. Il a même peur d'avoir peur, ce qui n'est pas peu dire.

— Ah oui, dit M. Desméninges. Désolé, j'avais oublié.

— Peut-on faire des maths à présent? demande Florence.

Toute la classe grogne.

— Sûrement pas! répond M. Desméninges.

Toute la classe pousse des hourras. Toute la classe, sauf Florence, bien sûr.

— Mais c'est lundi matin! proteste Florence. On fait toujours des maths le lundi matin!

— Correction, précise M. Desméninges. Vous *faisiez* toujours des maths le lundi matin. Aujourd'hui, cependant, j'ai quelque chose de *beaucoup* plus important à vous enseigner!

— Qu'est-ce qui peut être plus important que les maths? demande Florence.

— Des tours de magie! s'écrie M. Desméninges.

Toute la classe pousse de nouveau des hourras.

— *J'adore* les tours de magie! s'exclame Jacob.

— Moi aussi! clame Gaëlle Gaillard d'une voix tonitruante.

Gaëlle a une voix vraiment forte Elle a aussi des bras très forts. En fait, elle est la fille la plus forte de l'école.

— Moi aussi! dis-je.

— Excellent! déclare M. Desméninges, sourire aux lèvres, en sortant une longue baguette magique noire de son veston violet. J'ai pensé commencer par le tour du crayon qui disparaît. Dans la vie, il est très important de savoir comment faire disparaître un crayon.

Je vais bientôt découvrir à quel point il dit vrai.

Chapitre 3

1ʳᵉ grande leçon de M. Desméninges

Dans la vie, il est très important de savoir comment faire disparaître un crayon.

Chapitre 4

C'est magique!

Nous nous penchons tous en avant pour voir M. Desméninges faire disparaître un crayon.

— La chose la plus importante quand on veut faire disparaître un crayon, dit-il en fronçant les sourcils et en tâtant les poches de son veston, c'est de s'assurer qu'on a bien un crayon à faire disparaître. On dirait que j'ai fait disparaître tous les miens. Quelqu'un aurait-il un crayon à me prêter?

— Allez-vous nous le rendre ensuite? demande David Brillant, le président de notre classe.

— Je l'espère, répond M. Desméninges, mais je ne peux pas vous le garantir à cent pour cent, bien sûr. Je vais utiliser une formule extrêmement puissante.

— Prenez le mien! dis-je en ouvrant ma trousse à crayons.

J'en sors le crayon que M. Barbeverte, le directeur de notre école, m'a donné pour me remercier d'avoir retrouvé son trésor. Il est rayé aux couleurs de l'arc-en-ciel et est coiffé d'une petite gomme à effacer blanche en forme de tête de mort. À vrai dire, je ne l'aime pas beaucoup, ce crayon, mais je ne saurais dire pourquoi. Peut-être que c'est la façon dont les yeux de la tête de mort semblent me fixer qui me déplaît...

— Merci, Henri, dit M. Desméninges en prenant mon crayon. Tout le monde est prêt?

Nous hochons tous la tête.

Florence prend des notes.

Lucas a l'air terrifié.

M. Desméninges donne un coup de baguette sur le crayon et crie :

— Abracadabra! Que ce crayon disparaisse!

Puis il donne un autre coup de baguette sur le crayon et, je vous le jure, le crayon disparaît complètement.

— Ta-dam! s'écrie M. Desméninges, l'air aussi surpris que nous tous.

Nous applaudissons à tout rompre.

— C'est comme ça qu'on fait disparaître un crayon! s'exclame-t-il fièrement.

— Pouvez-vous le faire réapparaître? demande Olivier.

— Mais bien sûr! répond M. Desméninges. Enfin, je pense bien que oui. Reculez, tout le monde, ajoute-t-il en levant sa baguette. Abracadabra, que le crayon réapparaisse!

Il donne un coup de baguette sur la table, puis deux, puis trois, puis... PAF! Des copeaux de bois jaillissent du bout de la baguette et frappent M. Desméninges en pleine figure!

De la poussière de crayon se répand partout dans l'air.

Les élèves de la première rangée se mettent à tousser

et à suffoquer, mais aucun ne tousse ni ne suffoque plus que M. Desméninges. Son visage redevient rouge tomate, mais, cette fois, il est plus vif et plus rouge que lorsqu'il était accroché à la poutre par les orteils. Il se prend la gorge à deux mains, titube à reculons jusqu'à l'autre côté de la classe, puis... tombe par la fenêtre.

Nous échangeons tous un regard stupéfait.

Puis, pensant que cette chute fait partie de son numéro de magie, tous les élèves se remettent à applaudir.

Tous, sauf moi.

Je sais que quelque chose ne va pas.

Je cours jusqu'à la fenêtre et m'y penche pour regarder en bas.

M. Desméninges est couché sur le dos. Il agrippe toujours sa gorge à deux mains. Il suffoque toujours.

Je n'hésite pas une seconde.

Je saute par la fenêtre et atterris dans la plate-bande à côté de lui.

Par chance, comme la terre vient à peine d'être binée, la plate-bande est douce et moelleuse.

Au moins, je n'ai pas à m'inquiéter de voir surgir M. Herbête en furie. M. Herbête est le jardinier. Il est en repos forcé en ce moment, car il y a quelques semaines, il s'est épuisé à remplir tous les trous que les élèves de l'école avaient faits en tentant de retrouver un trésor.

Je ne m'inquiète peut-être pas pour M. Herbête, mais je m'inquiète pour M. Desméninges.

Il est en train de véritablement s'étouffer!

Il me regarde fixement. Ses yeux me supplient de lui

venir en aide.

Heureusement que, la semaine précédente, il nous a enseigné la manœuvre de Heimlich. C'est une méthode efficace pour déloger tout objet étranger coincé dans la gorge.

Sans réfléchir, je saute sur mes pieds, soulève M. Desméninges par-derrière et l'étreins violemment.

Il tousse très fort puis, aussi incroyable que ça puisse paraître, il recrache mon crayon... redevenu entier!

Toute la classe se remet à applaudir.

Je lève les yeux et aperçois la classe 5B qui, par la fenêtre, ovationne M. Desméninges.

M. Desméninges fronce les sourcils.

— Je pense qu'ils pensent que c'était voulu, dit-il, mais ils se trompent. Ce n'était pas censé se passer ainsi!

Comme nous le découvrirons bientôt, ce crayon se fiche pas mal de ce que les gens pensent, que ce soit M. Desméninges ou un autre. Ce crayon n'en fait qu'à sa tête.

Chapitre 5

Et voici Fred!

À l'heure du dîner, Jacob, Janie, Gaëlle, Lucas et moi sommes assis sous les arbres, près du terrain de basketball.

Jacob retire les cornichons de son sandwich et les lance dans l'herbe.

Lucas est blanc comme un drap. Il tremble.

— Jacob, dit Janie, arrête de faire ça, s'il te plaît. Tu fais peur à Lucas.

— Hein? s'étonne Jacob. Comment ça?

— Il a peur des cornichons, lui rappelle Janie.

Lucas hoche la tête.

— Désolé, Lucas, dit Jacob en refermant son sandwich. Moi non plus, je ne les aime pas.

Mon sandwich est là, près de moi, mais je n'ai pas vraiment faim. Je suis encore un peu secoué après l'incident de M. Desméninges.

Je sors le crayon de ma poche et l'examine attentivement.

— Je vais vous dire ce que moi, je n'aime pas, dis-je. Je n'aime pas ce crayon. Il a quelque chose de bizarre. Quelque chose... je ne sais pas... de *mauvais*. Il me fait peur.

Jacob pouffe de rire.

— Quelle belle paire vous faites, tous les deux. Lucas a peur des cornichons, et toi, tu as peur d'un crayon!

— Tu n'es pas très brave toi-même, Jacob, fait remarquer Gaëlle.

— Oui, je le suis, s'offusque Jacob. Je n'ai peur de *rien*.

Gaëlle éclate de rire.

— Ouais, bien sûr.

— Nomme-moi une seule chose! la défie Jacob.

— Fred Rustaud! répond Gaëlle en faisant allusion au frère d'Olivier, un gros tyran.

— Fred Rustaud? répète Jacob avec dédain. Fred Rustaud est aussi terrifiant qu'un cornichon! Ou qu'un crayon, si tu préfères.

— Vraiment? se moque Gaëlle.

— Vraiment! affirme Jacob.

— Eh bien, tu vas avoir l'occasion de nous le prouver, dit Gaëlle en désignant l'autre bout du terrain de basket-ball. Il s'en vient justement par ici!

Chapitre 6

Oui veut dire non,
et non veut dire oui

Gaëlle a raison. Fred Rustaud s'en vient droit vers nous, suivi d'Olivier qui doit courir pour arriver à le suivre.

Jacob devient subitement pâle comme un linge.

— Tu veux que je m'occupe d'eux? demande Gaëlle en retroussant ses manches.

— Non, répond Jacob en se mordillant la lèvre. Ça va aller.

Fred traverse le terrain de basket-ball.

En chemin, il reçoit un ballon sur la tête.

Je m'attends à le voir se retourner sur-le-champ et régler son cas au pauvre élève qui vient de lancer le ballon.

Mais il n'en fait rien.

Il ne bronche même pas.

Il continue à marcher et vient se planter directement devant Jacob.

— C'est lui, Fred, dit Olivier en désignant Jacob.

— Je le vois, répond Fred.

— Il y a un problème? demande poliment Jacob.

— Ouais, il y a un problème, répond Fred. Un *gros* problème. Tu as insulté mon frère, Lepitre.

— Non, répond Jacob.

— Oui, réplique Fred. Il dit que tu l'as traité de nul.

— Je n'ai pas dit ça! proteste Jacob.

— Eh bien, il dit que tu as dit qu'il ne connaissait rien à rien. À mon avis, c'est exactement comme le traiter de nul.

— Je n'ai pas *dit* qu'il ne connaissait rien à rien, reprend Jacob. Je lui ai *demandé* s'il ne connaissait rien à rien. C'est tout.

— Même chose! tranche Fred.

— Non, ce n'est pas la même chose, proteste encore Jacob. Ça prouve à quel point tu es nul... Oups! fait-il en prenant conscience de ce qu'il vient de dire.

Fred le fixe un long moment sans rien dire.

Nous retenons tous notre souffle.

Jacob se mordille la lèvre un peu plus.

Puis Fred sourit et secoue la tête.

— Tu sais quoi, Lepitre? dit-il. Tu as de la chance que je sois de bonne humeur aujourd'hui. Je vais t'accorder le bénéfice du doute. En fait, je suis tellement de bonne humeur que je vais même jouer à un petit jeu avec toi. Ça s'appelle « Oui veut dire non, et non veut dire oui ». Tu veux jouer?

— Non, répond Jacob. Merci, mais...

— Super! s'écrie Fred. Tu veux jouer!

— Non. J'ai dit non!

— Mais non veut dire oui! lui rappelle Fred. Voici comment on joue : je te pose une question et tu dois répondre par oui ou par non. D'accord? Tu es prêt?

Première question. Hum… laisse-moi réfléchir. Veux-tu que je te frappe?

— NON! crie Jacob, effrayé, en écarquillant les yeux.

— Tu veux donc que je te frappe? demande Fred.

— Non! répète Jacob.

— Non veut dire oui et oui veut dire non, lui rappelle encore Fred. Alors, ce que je comprends, c'est que tu veux que je te frappe!

Olivier ricane.

— Non! dit Jacob. Euh, je veux dire oui!

— Oui, tu *veux* que je te frappe ou oui, tu *ne* veux *pas* que je te frappe? demande Fred. Souviens-toi : oui veut dire non et non veut dire oui!

— Oui! répond Jacob. *Oui!*

Fred regarde d'un air triomphant le groupe d'élèves qui s'est formé autour de nous.

— Avez-vous entendu ça, vous autres? dit-il en serrant son poing et en levant le bras. J'ai demandé à Jacob s'il voulait que je le frappe et il a dit *oui!*

— J'ai dit *oui*, mais oui veut dire non! s'écrie Jacob.

— De quoi est-ce que tu parles? demande Fred en prenant un air étonné.

— Du jeu! répond Jacob. Nous jouons à un jeu, tu te souviens?

— Tu as pourtant dit que tu ne voulais pas jouer, fait remarquer Fred.

— C'est vrai, mais… je croyais que tu jouais quand même.

Fred sourit.

— Je *jouais*, mais j'ai arrêté.

— Dans ce cas, ma réponse est *non*! s'empresse de dire Jacob.

— Non quoi?

— Non, je ne veux pas que tu me frappes!

— Non? répète Fred.

— Non! répète Jacob.

Fred donne un coup de poing sur le bras de Jacob.

Jacob se prend le bras et tombe par terre.

— Pourquoi as-tu fait ça? se plaint-il.

Fred hausse les épaules.

— Non veut dire oui et oui veut dire non! dit-il d'un air innocent.

— Mais tu viens de dire que tu ne jouais plus! s'exclame Jacob.

— J'ai recommencé à jouer, répond Fred.

— C'est injuste!

— Ce n'est pas ma faute si tu n'arrives pas à suivre le jeu.

— C'est injuste et tu le sais.

— Es-tu en train de me traiter de tricheur? demande Fred.

— Non.

— Alors, tu me *traites* vraiment de tricheur?

— J'ai dit non, répète Jacob.

— Oui veut dire non et non veut dire *oui*, dit Fred.

— Alors, je voulais dire oui! réplique Jacob.

Pendant ce temps, un plus grand nombre d'élèves se sont rassemblés autour de Fred pour le voir jouer à « Oui veut dire non et non veut dire oui » avec Jacob.

Fred se tourne vers eux.

— Vous l'avez entendu, vous autres? demande-t-il. Il vient de me traiter de tricheur!

Certains élèves disent oui. D'autres disent non. D'autres encore semblent carrément perdus.

Fred s'adresse à Olivier.

— Je n'arrive pas à le croire! dit-il. Il vient de me traiter de tricheur!

— C'est bien ce que j'ai entendu, confirme Olivier.

— Non, c'est faux, proteste Jacob. Oui veut dire non et non veut dire oui, tu te souviens?

— Je ne joue plus à ça, répond Fred. Aimerais-tu y rejouer demain?

Jacob est tellement confus qu'il répond non et hoche la tête en même temps.

Tous les élèves se mettent à rire.

Pauvre Jacob! Je suis vraiment désolé pour lui, mais je ne peux pas m'empêcher de me réjouir que Fred l'ait choisi, lui, et pas moi.

— Je vais prendre ça pour un oui alors, déclare Fred. À demain, Lepitre.

Il fait mine de s'éloigner, mais se retourne au dernier moment et frappe encore Jacob sur le bras.

— Ça, c'est pour m'avoir traité de tricheur.

Jacob se plie en deux en serrant son bras.

Fred le regarde avec mépris.

— Ça alors, je n'ose pas imaginer comment tu réagirais si je te frappais *vraiment* fort.

La sonnerie retentit pour annoncer la fin du dîner et la foule se disperse. Fred et Olivier s'éloignent en ricanant.

Jacob se relève en frottant toujours son bras.

— Les frères Rustaud vont regretter de s'être moqués de moi! jure Jacob.

— Que vas-tu faire? demande Gaëlle en rigolant des belles promesses de Jacob. Tu vas laisser Fred te frapper encore?

— Tu vas voir, déclare Jacob d'un air renfrogné.

Chapitre 7

La BD de Jacob

Jacob gravit bruyamment les marches de l'école, puis traverse le corridor d'un pas rapide.

Il est furieux.

Je ne l'ai jamais vu aussi furieux.

Dans la classe, il va droit vers son bureau, y prend une feuille de papier et se met à dessiner.

Je sais ce que ça signifie.

Jacob va dessiner une nouvelle histoire de sa collection « Fred et Olivier ». Chaque fois que les frères Rustaud l'embêtent, il invente une nouvelle BD dans laquelle il leur arrive un malheur.

Il divise la page en huit cases et attaque aussitôt la feuille avec son crayon. On ne peut pas appeler ça dessiner puisqu'il semble taillader la feuille à grands coups de couteau.

En fait, il dessine si violemment qu'il finit par briser son crayon en deux.

— Je peux emprunter ton crayon, Henri? demande-t-il.

En temps normal, j'aurais dit oui. Mais je n'ai qu'un crayon sur moi... et la dernière fois que je l'ai prêté, M. Desméninges est tombé par la fenêtre.

— Je ne sais pas, dis-je. Je ne crois pas que ce soit une bonne idée. Tu as l'air un peu trop, euh, *agité*.

— Je vais être encore plus agité si tu ne me prêtes pas ton crayon, réplique Jacob, dont les yeux lancent des éclairs. Je partage toutes mes affaires avec toi, pas vrai?

— Ouais, bien sûr, dis-je en sortant à regret le crayon de ma trousse et en le lui tendant. Bon... alors... sois prudent.

Jacob hoche la tête.

— D'accord, Henri, dit-il. Je ne le briserai pas. Promis.

— Ce n'est pas ce que je voulais dire.

— Que voulais-tu dire?

— Je ne sais pas trop.

Jacob hausse les épaules et se remet à dessiner.

Le sourire de la gomme à effacer en tête de mort semble s'élargir pendant qu'il travaille.

Olivier entre dans la classe.

— Alors, Jacob, c'est qui le nul maintenant? dit-il en passant près de nos pupitres. Tu ne peux même pas faire la différence entre oui et non.

Jacob fait comme s'il ne l'avait pas entendu et continue à dessiner.

Olivier s'arrête.

— Ton bras ne te fait pas trop mal pour dessiner?

— Non, ça va, répond Jacob en se penchant sur son dessin pour empêcher Olivier de le voir. Il me faut plus qu'un coup de poing de fillette pour me faire mal.

— Hé! s'écrie Gaëlle. Je t'ai entendu.

— Moi aussi, ajoute Olivier. Et je vais le dire à mon frère.

— Tu n'en a pas assez d'aller répéter à ton frère ce que chacun dit? demande Jacob.

— Non, répond Olivier. Et je vais lui dire que tu as dit ça aussi!

Jacob ne répond pas.

En réalité, Jacob ne prononce plus un mot de tout le reste de l'après-midi.

Même pas quand Olivier se met à lui lancer des boulettes de papier mâchouillé sur la nuque.

Même pas quand Paméla et Gina, les jumelles folles des chevaux, décident de faire un petit galop autour de la classe et qu'elles heurtent son pupitre au passage, faisant tomber sa bande dessinée par terre.

Au lieu de se fâcher, Jacob ramasse sa feuille, la remet sur son pupitre et continue à dessiner.

Je ne l'ai jamais vu aussi absorbé.

Il dessine durant toute notre période de lecture libre et ne relève la tête que lorsque la sonnerie retentit. Il cligne des yeux.

Puis il prend son dessin, se lève et marche jusqu'à mon pupitre.

— Wow! s'exclame-t-il. C'est tout un crayon que tu as là, Henri!

— Vraiment? Pourquoi?

— Eh bien, ça va te sembler un peu étrange, répond Jacob, mais on aurait dit que le crayon faisait tout le travail tout seul. Regarde-moi ça!

Il me tend la bande dessinée.

Elle s'intitule « Fred et Olivier en avion ».

Chapitre 8

« Fred et Olivier en avion »

- 1re case : Fred et Olivier sont à bord d'un avion.
- 2e case : De la fumée s'échappe de l'arrière de l'appareil.
- 3e case : Fred et Olivier sautent de l'avion.
- 4e case : Fred et Olivier essaient d'ouvrir leurs parachutes.
- 5e case : Fred et Olivier sont pris de panique en constatant que leurs parachutes ne s'ouvrent pas.
- 6e case : Fred s'écrase au sol.
- 7e case : Olivier s'écrase sur Fred.
- 8e case : L'avion s'écrase sur Fred et Olivier.

Chapitre 9

Des excuses et une menace

— C'est incroyable, Jacob! dis-je. C'est le meilleur dessin que tu as fait jusqu'à présent!

Je ne le dis pas seulement pour être gentil. Je le pense vraiment. C'est une excellente BD. Il y a quelque chose dans les détails qui rend les images presque réelles.

— Merci, dit Jacob, mais je ne peux pas m'attribuer tout le mérite. Ce crayon est super!

— Belle BD, Jacob, le félicite Gaëlle, qui arrive derrière accompagnée de Janie et de Lucas. Ils l'ont bien mérité! Jacob?

— Oui?

— Je suis désolée de t'avoir taquiné à l'heure du dîner.

— Es-tu vraiment désolée ou crains-tu que Jacob dessine une BD à ton sujet? dis-je, moqueur.

— Les deux! répond Gaëlle en riant.

— C'est *vraiment* bon, Jacob, dit Janie, mais je ne peux pas m'empêcher d'être un peu désolée pour Fred et Olivier.

— Être désolée pour eux? répète Jacob. Et si tu étais désolée pour moi, plutôt? C'est mon bras qui s'est fait taper dessus... deux fois!

— Je sais, reprend Janie en désignant la dernière case de la bande dessinée, mais tout de même... ça doit faire mal!

— Ça m'a fait mal aussi de recevoir des coups sur le bras! insiste Jacob.

— Que se passe-t-il, Lucas? demande Gaëlle.

Nous nous tournons vers Lucas. Il est tout pâle.

Il essaie de parler, mais aucun son ne sort de sa bouche.

— C'est la bande dessinée? demande Janie. As-tu peur de la bande dessinée de Jacob?

Lucas secoue la tête.

— Et si... dit-il en prenant une grande respiration. Et si Fred et Olivier la voyaient?

— Ça n'arrivera pas, répond Jacob.

— Vraiment? dit une voix familière.

Nous nous tournons tous d'un bloc.

Olivier se tient juste derrière Jacob. Il secoue lentement la tête.

— Mon frère n'aimera vraiment pas ça, ajoute-t-il. Il n'aimera pas ça du tout!

— Il n'a pas besoin de le savoir, fait remarquer Jacob.

— Oh oui, il a besoin de le savoir! répond Olivier en tournant les talons et en se dirigeant vers la porte. Le plus vite possible!

— Tu sais, Olivier? lui crie Jacob. Il serait temps que tu t'occupes autrement.

Olivier se retourne et sourit.

— C'est ce que tu crois, réplique-t-il, mais toi, ne t'en fais pas. Fred, lui, s'occupera de toi!

Jacob avale sa salive avec peine. Il semble encore plus effrayé que Lucas, si c'est possible.

Soudain, sa BD de « Fred et Olivier en avion » n'est plus aussi drôle qu'elle l'était il y a quelques minutes à peine.

Et bientôt, elle le sera encore moins.

En fait, à cet instant précis, aucun de nous n'a idée à *quel point* la situation sera bientôt moins drôle.

Chapitre 10

Une mauvaise nouvelle

Le lendemain matin, M. Desméninges rappelle la classe à l'ordre.

— J'ai bien peur d'avoir une mauvaise nouvelle à vous annoncer, déclare-t-il.

— Oh! non, dit Gaëlle. Vous n'allez pas nous quitter quand même!

— Non, rien de ce genre, la rassure M. Desméninges.

— Notre prochain congé a été annulé? dis-je à tout hasard.

— Non, répond M. Desméninges, la nouvelle n'est pas *aussi* mauvaise que ça.

— Notre prochain congé a été *allongé*? demande Florence, le souffle coupé.

— En quoi cela serait une mauvaise nouvelle? demande M. Desméninges.

— *J'adore* l'école! s'écrie Florence. Il y a tant de choses à apprendre et si peu de temps pour le faire. À mon avis, plus on a de jours d'école, mieux c'est.

— Oui, bien sûr, dit M. Desméninges, je suis entièrement d'accord avec toi. Mais il s'agit d'autre chose. La mauvaise nouvelle concerne Olivier et son frère Fred. On m'a dit qu'ils sont tous les deux à l'hôpital dans un état

27

très grave et qu'ils seront absents de l'école pendant un certain temps...

— Que leur est-il arrivé? demande Janie avec un air inquiet.

— Eh bien, répond M. Desméninges, ils étaient sur le toit de leur garage pour tenter de faire décoller un modèle réduit d'avion. Fred est tombé du toit, puis Olivier l'a suivi... et a atterri en plein sur son frère! Et, comme si ce n'était pas assez, leur avion a ensuite roulé en bas du toit et est venu s'écraser sur Olivier.

Pendant son récit, certains élèves se sont mis à ricaner.

— Allons, les enfants, dit M. Desméninges. Ce n'est pas drôle... pas drôle du tout!

Il a raison. Ce n'est pas drôle.

Lucas, Gaëlle, Janie, Jacob et moi échangeons un regard stupéfait.

C'est exactement comme dans la bande dessinée de Jacob! Enfin, à quelques détails près, mais le résultat est le même.

Je jette un coup d'œil par la fenêtre et remarque un nuage qui passe devant le soleil. Un vent subit arrache des feuilles mortes aux arbres et les emporte dans un tourbillon.

J'ouvre ma trousse à crayons et je regarde le crayon.

La tête de mort me fait un clin d'œil.

Chapitre 11

De belles choses

Tout de suite après que M. Desméninges a fait l'appel, nous nous rendons au local d'art.

Mme Pastel, l'enseignante d'arts plastiques, nous accueille tous avec un grand sourire.

Mme Pastel adore l'art et elle nous encourage à l'explorer et à nous exprimer de toutes les façons possibles. Toutefois, elle n'aime pas nous voir nous exprimer au moyen de batailles d'argile, de combats de peinture ou de courses avec ciseaux en main.

À part ça, elle est plutôt ouverte.

Janie, Gaëlle, Lucas, Jacob et moi prenons place à la table de collage qui se trouve dans le fond du local, mais nous n'y faisons aucun collage. Nous ne pouvons penser qu'à l'accident de Fred et Olivier.

— C'est comme dans ta bande dessinée, Jacob! s'exclame Janie.

— Non, ce n'est pas pareil, réplique Jacob. Ça n'a rien à voir! Dans mon histoire, ils volent à bord d'un avion, l'avion a un problème de moteur, ils doivent sauter dans le vide et leurs parachutes ne s'ouvrent pas!

— Et ensuite? dit Janie.

Jacob grimace.

— Hum... laisse-moi voir. Eh bien, je crois que Fred s'écrase au sol, qu'Olivier s'écrase sur lui, puis que l'avion s'écrase sur eux...

— Tu ne remarques pas de similitudes? demande Janie.

— Aucune, répond Jacob, toujours aussi entêté. Enfin... peut-être quelques-unes. Qu'est-ce que tu essaies de dire? Que ma bande dessinée est *la cause* de leur accident?

— Bravo, Jacob! lance Gaëlle. Ils ont bien couru après!

— Ce n'est pas drôle, dit Janie.

— Je n'ai pas dit que *c'était* drôle, se défend Jacob, mais ce n'est pas ma faute non plus! Ce n'est jamais arrivé avant, avec aucune de mes BD. C'est une simple coïncidence!

— Non, dis-je, c'est trop semblable pour être une simple coïncidence. C'est le crayon. Il a quelque chose de bizarre, quelque chose de dangereux même!

— Ne sois pas stupide, Henri, réplique Jacob. C'est un très, très bon crayon.

— Faux! dis-je. Rappelle-toi comment il a fait tomber M. Desméninges par la fenêtre et comment il a failli l'étouffer à mort!

— Ce n'était pas la faute du crayon! rétorque Jacob en secouant la tête. Ce n'est pas la première fois que M. Desméninges tombe par la fenêtre. Il est même déjà tombé deux fois dans une même journée. Tu te souviens? Ou alors préfères-tu oublier ce fait, comme par hasard?

— Non, dis-je, mais comme par hasard, toi, tu sembles oublier que ce que tu as dessiné pour Fred et Olivier est devenu réalité!

— Qu'essaies-tu de dire? demande Jacob. Que ce crayon est ensorcelé? Est-ce que c'est ça que tu essaies de me dire?

— Je ne sais pas, dis-je. Peut-être.

— C'est ridicule, affirme Jacob.

— Peut-être, lui dis-je, mais peut-être pas. J'ai déjà lu une histoire de ce genre. Un écrivain avait une machine à écrire et, chaque fois qu'il l'utilisait pour écrire une histoire, celle-ci devenait réelle. Il avait écrit une histoire sur un monstre effroyable qui résistait aux balles et aux bombes. Eh bien, un vrai monstre, identique à celui de son histoire, a attaqué la ville. À la fin, ils ont dû détruire la machine à écrire de l'écrivain pour réussir à anéantir le monstre et sauver la ville. C'était le seul moyen.

En entendant un tel récit, Lucas est terrifié. Les yeux lui sortent pratiquement de la tête.

— Ça va aller, Lucas, le rassure Janie en lui tapotant le bras. Ce n'est qu'une histoire.

— Mais cela *pourrait* arriver, dit-il.

— Vas-tu détruire le crayon? demande Jacob. En tout cas, je ne vais pas te laisser faire. Je n'ai jamais aussi bien dessiné qu'avec ce crayon. *C'est le meilleur crayon au monde!*

— Alors, comment ça va ici? demande Mme Pastel en s'approchant de la table de collage. Avez-vous commencé?

— Pas vraiment, Mme Pastel, répond Janie.

— Vous avez de la difficulté à trouver des idées?

— Non, dit Gaëlle. Nous discutons à propos... d'un crayon.

— Je peux vous aider?

— Oui, dis-je en regardant Jacob dans les yeux. Que feriez-vous si vous aviez de bonnes raisons de croire qu'un de vos crayons avait un don, celui de rendre réel tout ce que vous dessinez?

— Un crayon magique? demande Mme Pastel avec un grand sourire.

— Ouais, genre, dis-je.

— Eh bien, répond-elle, si j'étais assez chanceuse pour avoir un tel crayon, je crois que je m'en servirais pour dessiner seulement de belles choses.

— De belles choses, dis-je. Mais bien sûr! C'est génial! Merci, madame Pastel.

— Ravie d'avoir pu vous être utile, répond l'enseignante, dont l'attention est soudain attirée par un fracas venant de l'autre bout de la pièce.

Paméla est tombée du poney en papier mâché, grandeur nature, que Gina et elle fabriquent depuis quelques mois.

— Alors, on n'a pas besoin de détruire le crayon? demande Jacob pendant que Mme Pastel s'éloigne pour aller aider Paméla.

— Nous devons d'abord faire une expérience, dis-je.

— À condition que personne ne se blesse, s'empresse de dire Janie.

— Ne t'inquiète pas, lui dis-je, nous ne dessinerons rien de méchant. Cette fois, comme Mme Pastel l'a suggéré, nous allons dessiner de belles choses. Nous verrons bien si elles se réalisent. De cette façon, nous saurons si le crayon est vraiment ensorcelé ou pas!

Chapitre 12

Le dessin de Janie

Janie sourit.

— Vous savez quoi? dit-elle. J'ai toujours voulu avoir un chaton. Je peux en dessiner un?

— Bien sûr, lui dis-je en lui tendant le crayon. Je ne vois pas comment un chaton pourrait faire de mal à qui que ce soit.

Janie prend une feuille et se met à dessiner. Elle se représente avec un chaton vraiment mignon dans les bras. Même si Janie est loin d'être aussi douée en dessin que Jacob, son dessin a le même fini particulier qui rendait la bande dessinée de Jacob si vivante.

C'est un dessin magnifique.

Tellement mignon et tellement réaliste!

On croirait entendre le chaton ronronner.

Chapitre 13

Le dessin de Gaëlle

— C'est super, Janie, la félicite Gaëlle en s'emparant du crayon. Tu me donnes une idée!

— Qu'est-ce que tu vas dessiner? lui dis-je.

— Quelque chose dont j'ai toujours rêvé, moi aussi, répond Gaëlle, les yeux brillants.

— Un chaton? risque Lucas.

— Non, répond Gaëlle. J'ai toujours rêvé de battre mon père au bras de fer. C'est la seule personne que je n'arrive pas à battre… à part moi-même, bien sûr.

Nous hochons tous la tête.

Gaëlle est la fille la plus forte de l'école. En fait, pas seulement la fille la plus forte, mais la personne la plus forte. Personne à l'école ne peut la battre au bras de fer. Pas même M. Dutonus, l'enseignant d'éducation physique, qui a des bras aussi gros que les jambes de la plupart d'entre nous.

J'ose à peine imaginer de quoi ont l'air les bras du père de Gaëlle. Enfin, je n'ai pas à les imaginer longtemps, car le dessin de Gaëlle nous en donne une bonne idée.

Chapitre 14

Le dessin d'Henri

— J'ai fini, déclare Gaëlle en me passant le crayon. À ton tour, Henri. Qu'est-ce qui te ferait plaisir?

Ce qui me ferait plaisir?

C'est facile : je rêve de gagner le concours annuel de nouvelles du journal *La Chronique de Nordouest*. Cette année, j'ai soumis une histoire intitulée « La fièvre du trésor ». La remise des prix a lieu ce soir, sur la place de la ville. Le gagnant reçoit un certificat encadré et un prix de cent dollars.

J'ai reçu une lettre m'annonçant que je faisais partie des finalistes, mais je n'ai pas grand espoir de remporter le premier prix.

La compétition est très forte cette année. Je sais que Florence Fortiche et David Brillant participent au concours, et tous les deux sont très bons dans tout.

J'imagine qu'un petit coup de pouce ne ferait pas de mal.

Je tiens le crayon fermement entre mes doigts.

La tête de mort me fait un clin d'œil.

Je frissonne, puis me mets à dessiner, malgré un mauvais pressentiment.

Chapitre 15

Le dessin de Jacob

Quand j'ai terminé, Jacob regarde mon dessin et éclate de rire.

— Qu'y a-t-il de si drôle? dis-je.

— Toi, répond-il. En fait, vous tous. Vous croyez que ce crayon est magique. Bientôt, vous allez m'annoncer que les fées existent vraiment.

— Qu'est-ce que tu veux dire? demande Lucas, alarmé. Les fées existent bel et bien, pas vrai?

— Bien sûr, Lucas, le rassure Janie en lui tapotant l'épaule et en faisant de gros yeux à Jacob. Bien sûr qu'elles existent!

— Personne n'a dit que ce crayon était *magique*, dis-je. Nous faisons une expérience, c'est tout. Est-ce que tu vas y participer?

— Je ne crois pas, répond Jacob. Je vis dans la *réalité*, moi.

— Qu'est-ce que tu as à perdre? dis-je. Si ça ne fonctionne pas, tu n'as rien perdu. Si ça fonctionne, tu obtiens quelque chose que tu désirais.

— Ouais, j'imagine que tu as raison, dit Jacob. Vu comme ça... Un million de dollars, c'est vrai que ça serait chouette.

Je lui tends le crayon.

— Dans ce cas, dessine-le.

Jacob hausse les épaules.

— C'est bon, dit-il. Me voici avec un million de dollars.

Il se dessine, enseveli sous un énorme tas de billets, avec seulement la tête qui dépasse.

Chapitre 16

Les dessins terminés

Après avoir terminé son dessin, Jacob offre le crayon à Lucas, mais Lucas hoche la tête sans dire un mot.

Il a trop peur pour désirer quoi que ce soit.

Si nous savions ce que nous allons apprendre plus tard, nous aurions peur, nous aussi.

Ou plutôt, si nous savions ce que nous allons apprendre plus tard, nous déchirerions ces dessins, nous y mettrions le feu, nous réduirions les cendres en poussière, puis la poussière en atomes, et les atomes en protons, et les protons en quarks, qui sont les plus petites particules de matière qui existent et qui ne peuvent faire de mal à personne, même pas à une puce.

Mais nous ne le savons pas.

Aucun de nous n'a la moindre idée des forces du chaos que nous venons de relâcher à notre insu.

Chapitre 17

La poursuite

Nous n'attendons pas longtemps avant de le découvrir.

En fait, Jacob n'attend pratiquement pas du tout.

Ce jour-là, comme d'habitude à l'heure du dîner, nous nous assoyons tous dans la cour de l'école, sous les arbres qui bordent le terrain de basket-ball.

Comme d'habitude, Jacob retire les cornichons de son sandwich et les lance dans l'herbe.

Comme d'habitude, Lucas tremble, blanc comme un drap, mais avant que Janie puisse demander à Jacob de ne pas lancer ses cornichons comme elle le fait d'habitude, une sirène retentit au loin.

— Qu'est-ce que c'est? demande Lucas.

— Une sirène de police! s'écrie Jacob en sautant sur ses pieds et allant se pencher par-dessus la clôture pour regarder au bout de la rue afin d'apercevoir la voiture de police.

— Oh non! s'écrie Lucas. J'ai peur de la police!

— Ne t'inquiète pas! lance Jacob. Tu n'as rien fait de mal, pas vrai?

— Non, répond Lucas, mais peut-être que d'autres personnes ont fait quelque chose de mal.

Lucas ne sait pas à quel point il dit vrai.

La sirène se rapproche. À coup sûr, la police vient vers l'école. Nous nous levons tous et allons rejoindre Jacob près de la clôture.

Une voiture noire arrive à toute vitesse sur la route.

— C'est bizarre, fait remarquer Gaëlle. Ça ne ressemble pas à une voiture de police.

— C'est parce que ce n'est pas une voiture de police, déclare Jacob. C'est une voiture en fuite! La police la poursuit!

— C'est dangereux, dit Janie. J'espère que personne ne sera blessé!

Quand la voiture noire passe devant nous, quelqu'un ouvre une des portières et lance un gros sac.

Le sac survole la rue, puis la clôture. Il frappe Jacob en pleine poitrine et le renverse. Aussitôt, le sac s'ouvre et Jacob disparaît sous une montagne de billets de cent dollars.

— Wow! s'exclame Lucas. Il doit bien y avoir un *million* de dollars là-dedans!

Je songe au dessin que Jacob a dessiné avec le crayon.

— Tu sais quoi, Lucas? lui dis-je. Je crois qu'il y a *exactement* un million de dollars là-dedans.

Le dessin de Jacob est identique à la scène que nous avons sous les yeux : Jacob est couché sur le dos sous un tas de billets de banque totalisant un million de dollars. La seule différence, j'en suis sûr, c'est que Jacob ne s'attendait sûrement pas à ce que son million de dollars lui soit livré par une voiture roulant à toute vitesse.

— Est-ce que ça va, Jacob? demande Janie en lui secouant l'épaule.

Jacob ouvre les yeux.

— Je pense que oui, répond-il. Qu'est-ce qui m'est arrivé?

— Tu es millionnaire! lui dis-je. Félicitations!

Le bruit de sirène retentit très fort à présent.

Il y a deux voitures de police.

La première passe en trombe et continue sa poursuite endiablée de la voiture noire.

L'autre se gare à notre hauteur et deux policiers bien bâtis en sortent. Ils sautent par-dessus la clôture, tirent Jacob de sous les billets de banque et le remettent sur ses pieds.

— Tu es en état d'arrestation, dit l'un d'eux en lui passant les menottes.

— Pourquoi? demande Jacob en clignant des yeux, encore étourdi.

— Pour complicité lors d'un vol de banque, répond l'autre policier. Tu es dans de beaux draps, mon garçon!

— Il n'a rien à voir dans tout ça! s'écrie Gaëlle en s'avançant pour aider Jacob. Retirez-lui ce truc!

— Recule, ordonne le premier policier, ou tu seras arrêtée pour avoir aidé un suspect à résister à son arrestation!

Sous le choc, Lucas s'écroule par terre.

Je sens quelque chose dans ma main.

C'est le crayon. Je ne sais pas du tout comment il a pu aboutir là, mais il est bel et bien dans ma main. Et les

42

yeux de la tête de mort sont bel et bien en train de clignoter.

Lucas n'est plus le seul à avoir peur.

Janie s'agenouille pour l'aider.

— Qu'est-ce qu'il a? demande le deuxième policier en désignant Lucas.

— Vous lui faites peur, explique Janie.

— Il devrait être content! s'étonne le premier policier. Nous sommes les bons!

— Si vous êtes les bons, alors je préfère ne pas voir les méchants! lance M. Desméninges qui arrive au même moment. Ôtez les menottes à ce garçon immédiatement!

— Désolé, répond le premier policier, je ne peux pas. La banque de Nordouest a été dévalisée ce matin. Nous avons des raisons de croire que ce garçon est lié à la bande qui a commis le coup.

— Lié à la bande? répète M. Desméninges. Comment ça? C'est absurde!

— Nous l'avons pris la main dans le sac! lance le deuxième policier.

— Ce garçon n'est pas un voleur de banque! s'exclame M. Desméninges. Je le sais mieux que quiconque! Il s'appelle Jacob Lepitre. C'est un élève de ma classe de cinquième année. Il était à l'école toute la matinée. De toute évidence, les voleurs de banque se sont débarrassés de leur butin pour vous distraire et vous ralentir. Vous devriez les poursuivre au lieu de terroriser des écoliers innocents.

Les policiers échangent un regard.

— C'est bon, dit le premier. Nous allons vous croire sur parole.

Le deuxième libère Jacob.

— Ton enseignant dit peut-être la vérité, mais on te garde à l'œil, Jacob Lepitre.

Les deux policiers ramassent tous les billets et les remettent dans le sac, puis ils sautent par-dessus la clôture et s'en vont.

Je murmure à Jacob :

— Alors, crois-tu que le crayon a des pouvoirs magiques à présent?

— Non, répond Jacob. Ils sont partis avec mon million de dollars!

Chapitre 18

La Chronique de Nordouest

Ce jour-là, à 18 h 30, je suis debout sur la place de Nordouest et j'attends, en compagnie de quelques centaines de personnes, qu'on annonce le nom du gagnant dans le volet jeunesse du concours de nouvelles de *La Chronique de Nordouest*.

Avant que débute la cérémonie officielle, la fanfare de Nordouest fait de son mieux pour nous divertir et nous faire oublier les rafales de vent glacial.

Plusieurs autres élèves de l'école Sudest de Nordouest de Centreville sont présents. Florence Fortiche, la gagnante de l'année dernière, attend sur le devant de la scène. Il est évident qu'elle espère gagner une autre fois. David Brillant, qui est arrivé deuxième l'année dernière, est debout à côté d'elle.

Je viens me placer près d'eux, le ventre noué par la crainte et l'excitation.

J'ai écrit une bonne histoire et j'ai une bonne chance de gagner, mais je suis anxieux après ce qui est arrivé à Jacob cet après-midi.

Je ne fais pas confiance à ce crayon.

Surtout lorsque je me rends compte qu'il est dans ma poche, alors que je n'ai jamais pensé à l'emporter.

45

Je le sors et le regarde.

La tête de mort me sourit.

Je frémis et remets le crayon dans ma poche.

Au même moment, le maire arrive. C'est un homme de grande taille avec, autour du cou, une grosse chaîne en or qui lui donne un air d'importance.

Quand la fanfare termine sa pièce, il monte les marches d'un pas assuré, suivi du rédacteur en chef de *La Chronique de Nordouest* et de quelques autres officiels, dont un qui transporte un chèque géant en carton.

L'un des officiels prononce un discours.

Une autre officielle prononce un discours.

Le rédacteur en chef prononce un discours.

Puis, enfin, le maire s'avance devant le micro avec deux enveloppes à la main.

— C'est avec grand plaisir que je remets le deuxième prix à...

Il s'interrompt pour ouvrir l'enveloppe.

— À Florence Fortiche pour sa nouvelle intitulée « La maison de ma grand-mère ».

La foule applaudit. Florence semble stupéfaite. Elle gravit les marches pour aller chercher son certificat. Je ne pense pas qu'elle soit stupéfaite d'avoir gagné. Je pense plutôt qu'elle est stupéfaite de finir deuxième. Florence Fortiche n'a pas l'habitude de finir deuxième.

— Sans plus tarder, poursuit le maire, c'est avec un plaisir encore plus grand que je remets le premier prix du concours de nouvelles de *La Chronique de Nordouest* à...

Il s'interrompt de nouveau pour ouvrir l'enveloppe.

— À Henri Tournelle pour sa nouvelle intitulée « La fièvre du trésor ».

La foule applaudit encore.

Je gravis les marches et serre la main du maire pendant qu'il me remet mon certificat.

Je n'arrive pas à le croire. J'ai réussi. J'ai gagné le concours de nouvelles que j'essayais de gagner depuis que je suis assez vieux pour savoir écrire. Bercé par les applaudissements de la foule, j'aperçois ma mère et mon père qui me sourient, l'air radieux.

— Bon travail, Henri, me dit le maire. Reste ici un moment... Je crois que le rédacteur en chef de *La Chronique de Nordouest* a un petit cadeau à te remettre.

La foule rit.

L'énorme chèque en carton n'a rien de petit. Le rédacteur en chef essaie de le transporter d'un bout à l'autre de la scène, mais il est gêné dans ses efforts par le vent qui souffle très fort.

Il lutte pour ne pas échapper le carton, mais, tout à coup, le vent le lui arrache des mains et le projette en travers de la scène, droit sur moi.

L'instant d'après, je me retrouve allongé sur le dos, les yeux levés vers le ciel.

Il y a du sang partout.

Mon cou brûle.

— Appelez une ambulance! hurle le maire.

Chapitre 19

L'hôpital de Nordouest de Centreville

On me transporte de toute urgence à l'hôpital de Nordouest de Centreville.

Finalement, on décrète que je vais bien, si l'on ne tient pas compte de cette blessure que la docteure décrit comme « la plus grave coupure causée par un papier » qu'elle ait jamais vue.

Le chèque géant a failli me trancher le cou!

La docteure me fait un bandage, me dit que je suis chanceux d'avoir encore ma tête et me donne mon congé.

Je m'assois dans la salle d'attente pendant que mes parents remplissent la paperasse. Je suis très étonné d'y rencontrer Gaëlle. Elle a un bras en écharpe.

— Henri! s'écrie-t-elle. Qu'est-il arrivé à ton cou?

— Oh! juste un petit accident à cause d'un chèque surdimensionné, dis-je.

— Quoi? fait-elle.

— Eh bien, j'ai remporté le concours de nouvelles, mais quand ils ont voulu me remettre le chèque, le vent l'a arraché des mains du rédacteur en chef. Le chèque a failli me couper le cou. Et *toi*? Qu'est-ce qui t'est arrivé?

— Je me suis cassé le poignet, dit-elle. Je jouais au

bras de fer avec mon père. Il était en train de gagner quand j'ai subitement senti un énorme flot d'énergie m'envahir. J'ai réussi à remonter mon bras à la verticale, puis j'ai abattu le sien sur la table. C'est alors que j'ai entendu le craquement. Mon poignet a commencé à élancer et à enfler.

— Est-ce que ton père va bien? dis-je.

— Oui, répond Gaëlle. Il est seulement un peu vexé que je l'aie battu, bien sûr.

Je hoche la tête.

— Je crois que nous avons notre réponse.

— Que veux-tu dire? demande-t-elle.

— Le crayon est dangereux, dis-je. Même quand on l'utilise pour dessiner de belles choses, un malheur se produit.

— Tu crois que le crayon est responsable de nos blessures?

— Il faut bien se rendre à l'évidence, dis-je. D'abord, Fred et Olivier. Puis Jacob. Maintenant, c'est toi et moi. La question n'est pas tant de savoir si le crayon est responsable ou pas de tout ça. La question est de savoir qui sera la prochaine victime.

Nous échangeons un regard.

— Janie? demande Gaëlle.

— Oui, dis-je en hochant la tête.

— Mais elle a dessiné un chaton, proteste Gaëlle. Les chatons ne sont pas dangereux! Ils sont mignons!

— Espérons-le, dis-je.

Chapitre 20

Retour en classe

Le lendemain, à l'école, je me promène avec un gros bandage autour du cou.

Gaëlle a le bras en écharpe.

Janie est très inquiète pour nous deux, mais elle-même est en pleine forme.

Lucas a peur qu'un malheur lui arrive, même s'il n'a pas utilisé le crayon pour dessiner quoi que ce soit.

Jacob est compatissant, mais il refuse toujours de croire que nos blessures sont le fruit d'autre chose qu'une coïncidence.

La première moitié de la journée est relativement calme.

Personne n'est frappé par des sacs volants remplis d'argent, par des chèques géants ou par des gens qui tombent du toit.

M. Desméninges ne tombe même pas par la fenêtre.

Pas une seule fois!

C'est après le dîner que les problèmes commencent.

Chapitre 21

Comment couper une élève en deux

Au retour de la récréation, nous trouvons M. Desméninges debout derrière une longue boîte noire installée sur un chariot à roulettes en acier inoxydable. La boîte est ornée d'étoiles jaunes.

M. Desméninges porte une cape noire et tient une scie argentée toute brillante.

— Qu'allez-vous faire? demande Jacob avec un large sourire. Couper quelqu'un en deux?

— C'est exactement ça, mon garçon, répond M. Desméninges. Dans la vie, il est très important de savoir couper quelqu'un en deux... quoiqu'il soit peut-être plus important encore de savoir comment remettre cette personne en un seul morceau. Mais ne vous inquiétez pas, je vais vous enseigner ça aussi!

Un bourdonnement d'excitation parcourt la classe. La perspective de voir M. Desméninges couper quelqu'un en deux est cent fois mieux que celle de faire des maths, du français, de l'histoire ou... enfin... n'importe quelle autre matière, en fait.

— J'ai besoin d'un ou d'une volontaire, déclare M. Desméninges.

Le bourdonnement d'excitation cesse aussitôt.
Un silence complet règne dans la classe.

Chapitre 22

2ᵉ grande leçon
de M. Desméninges

Dans la vie, il est très important de savoir couper quelqu'un en deux... quoiqu'il soit peut-être plus important encore de savoir comment remettre cette personne en un seul morceau.

Chapitre 23

Janie se porte volontaire

M. Desméninges regarde à la ronde.

— Allons, 5B, dit-il. Il y en a sûrement une ou un parmi vous qui aimerait être coupé en deux! Je promets de vous remettre en un seul morceau tout de suite après. Enfin, je vais faire de mon mieux, c'est certain.

Malgré l'éclat qui anime son regard, ce n'est pas exactement le genre de promesse qui nous met en confiance ou qui nous donne envie de sauter dans sa boîte.

— Où est le problème, 5B? demande M. Desméninges, l'air blessé. N'avez-vous pas confiance en moi?

— Moi, je vais le faire, offre Janie en se levant.

Janie ne supporte pas de voir une personne triste... même si cette personne fait semblant d'être triste pour trouver un volontaire qui accepte d'être coupé en deux.

— Bravo, Janie! s'exclame M. Desméninges en tenant un bout de la boîte ouvert pour elle. Glisse-toi à l'intérieur et détends-toi.

Gaëlle et moi échangeons un regard inquiet.

Janie n'a pas dessiné de personne se faisant couper en deux, mais étant donné tout ce qui nous est arrivé, nous n'aimons pas la voir courir un risque aussi inutile.

— Non, dis-je, ne le fais pas!

— Pourquoi? demande Janie.

— C'est dangereux!

— Non, ce n'est pas dangereux, intervient M. Desméninges. Enfin, peut-être un petit peu, mais c'est ce qui rend la chose intéressante. Après tout, on ne fait pas d'omelette sans casser des œufs! Tu es confortable, Janie?

— Oui, répond Janie. C'est plutôt relaxant.

— Peux-tu bouger tes jambes?

— Je crois que oui, dit-elle en remuant ses pieds qui dépassent à l'autre bout de la boîte.

— Excellent! lance M. Desméninges avant de s'adresser à la classe. Bon, la première chose que vous devez faire avant de couper quelqu'un en deux, c'est de vous assurer que votre scie est bien aiguisée.

Il touche une dent de sa scie.

— Aïe! s'écrie-t-il. Es-tu prête, Janie?

Janie hoche la tête avec enthousiasme.

M. Desméninges place la scie sur le dessus de la boîte et commence à scier.

Il scie.

Et scie.

Et scie.

Nous sommes tous assis sur le bord de notre siège.

Puis nous sommes tous assis sur le bord du bord de notre siège.

Puis nous sommes tous assis sur le bord du bord du bord de notre siège.

— J'ai peur! crie Lucas.

— N'aie pas peur, lui dit Janie. Je n'ai pas peur, moi, et je n'ai pas mal du tout!

Finalement, aussi incroyable que ça puisse paraître, M. Desméninges scie toute la boîte.

Janie sourit toujours.

Ce qui est encore plus miraculeux, c'est qu'elle continue de sourire quand M. Desméninges éloigne les deux moitiés de boîte dans un geste théâtral, envoyant la moitié supérieure de son corps d'un côté, et ses jambes – avec ses pieds qui remuent encore – de l'autre.

— Ta-dam! s'exclame M. Desméninges.

— Aurons-nous un test là-dessus, monsieur? demande Florence.

Chapitre 24

Une très mauvaise nouvelle

L'interphone de la classe se met à grésiller avant que M. Desméninges ait le temps de répondre à la question de Florence. La voix de M. Barbeverte, notre directeur, se fait entendre.

— Attention à tout l'équipage! J'ai une nouvelle de la plus haute importance à vous annoncer. Fermez les écoutilles. Je répète : *Fermez les écoutilles.*

Bon, avant d'aller plus loin, je dois vous dire une chose au sujet de M. Barbeverte, le directeur de notre école. Il aime les bateaux et la navigation. Quand je dis qu'il aime les bateaux et la navigation, je veux dire qu'il aime vraiment les bateaux et la navigation. En fait, il aime tellement les bateaux et la navigation qu'il fait comme si l'école était un immense bateau, que tous les enseignants et les élèves étaient ses marins, et que lui, bien entendu, était le capitaine.

C'est important que vous le sachiez, car autrement vous pourriez penser qu'il est un peu fou.

À vrai dire, il est un *peu* fou, mais il ne l'est pas *complètement*. Il est juste fou de tout ce qui se rapporte aux bateaux et à la navigation.

Et quand il dit : « Fermez les écoutilles! », ce n'est pas

bon signe.

M. Barbeverte poursuit :

— Bon, je ne veux pas alarmer qui que ce soit, mais on vient de nous avertir qu'un lion s'est échappé d'un cirque. Plusieurs témoins l'ont vu se diriger vers notre école à toute vapeur. Je demande à tous les membres de l'équipage de rester à l'intérieur et de garder toutes les portes des cabines et tous les hublots bien fermés. Je répète : Fermez les écoutilles jusqu'à nouvel ordre. Merci à tous et tâchez de vous souvenir qu'il est très important de ne pas paniquer.

L'annonce est terminée.

Les élèves se mettent aussitôt à paniquer.

Certains élèves crient.

D'autres grimpent sur leur chaise.

D'autres encore crient *et* grimpent sur leur chaise.

Mais personne ne crie plus fort que Lucas.

— Aaaaahhh! hurle-t-il. J'ai peur des lions!

— Cette fois, tu n'es pas le seul à avoir peur, dit Gaëlle. Nous avons *tous* peur des lions!

— Tu ne comprends pas! réplique Lucas. Sur ma liste des 10 choses qui me font le plus peur, les lions occupent 9 des 10 premières places!

— Tu as dressé une liste? demande M. Desméninges.

Lucas fait oui de la tête.

— Une liste que tu as toujours sur toi?

— Oui, répond Lucas en cherchant dans sa poche et en brandissant une feuille chiffonnée sous le nez de M. Desméninges. Je l'ai justement ici.

Chapitre 25

Liste des 10 choses qui font le plus peur à Lucas

1. Les lions
2. Les lions
3. Les lions
4. Les lions
5. Les lions
6. Les lions
7. Les lions
8. Les lions
9. Fred Rustaud
10. Les lions

Chapitre 26

Un lion en liberté!

M. Desméninges rend la liste à Lucas.

— Très impressionnant, dit-il. Ne t'inquiète pas. Tant que nous resterons à l'intérieur, il ne nous arrivera rien.

— Monsieur Desméninges? demande Gina. Est-ce que Paméla et moi pouvons aller dehors un instant?

— Non, bien sûr que non! s'écrie M. Desméninges. Un lion se promène en liberté!

— C'est pour ça que nous devons aller dehors! insiste Paméla. Nos chevaux sont attachés à un arbre!

— J'ai bien peur que ce soit impossible, les filles, répond M. Desméninges d'une voix plus douce. C'est trop dangereux.

— Mais le lion va les manger! s'écrie Gina.

— Eh bien, c'est une bonne chose, intervient Jacob. Si le lion mange vos chevaux, il n'aura plus faim pour manger l'un de nous!

Paméla et Gina prennent toutes deux une mine horrifiée. Elles s'élancent vers la porte.

— Arrêtez-les! crie M. Desméninges.

Gaëlle, qui se trouve près de la porte, se lève et leur bloque le passage.

— Désolée, les filles, dit-elle. Vous avez entendu

M. Desméninges. Les chevaux vont devoir courir le risque de rester dehors.

— Si jamais il leur arrive malheur, nous vous tiendrons responsables, toi et M. Desméninges, déclare Paméla en entourant de son bras les épaules de Gina, qui est trop ahurie pour parler.

— Allons, calmez-vous, tout le monde, déclare David, debout devant la classe. Nous pouvons surmonter cette épreuve. Je sais que nous le pouvons. Cependant, il est très important que nous ne paniquions pas. Nous devons tous nous coucher par terre et rester parfaitement immobiles.

Toute la classe, y compris M. Desméninges, se jette par terre.

— Et moi? Qu'est-ce que je fais? demande Janie.

Nous avons oublié Janie dans notre panique.

— Tu es déjà couchée, répond M. Desméninges. Ça va aller.

— D'accord, dit Janie, qui ne sourit plus autant que tout à l'heure.

— C'est bien, reprend David. Bon travail, tout le monde. Si nous restons tous parfaitement immobiles, le lion pensera que nous sommes morts et il passera son chemin.

— Une minute, réfléchit Florence en s'assoyant. Ça, c'est pour les ours. C'est comme ça qu'on se protège d'un ours!

— Ah... vraiment? dit David avec un air un peu confus. Tu as peut-être raison. Bon... alors, nous n'avons pas besoin de nous coucher, mais nous devrions quand même rester immobiles, car les lions ont une très mauvaise vue.

Tout le monde se lève et se fige comme une statue.

— Et moi? Qu'est-ce que je fais? demande Janie.

— Ne bouge pas, répond M. Desméninges. Ça va aller.

— D'accord, dit Janie, qui ne sourit plus du tout à présent.

— Surtout, ne vous déplacez pas sous le vent, explique David, car les lions ont un odorat extrêmement développé et...

— Ça, c'est pour les rhinocéros, l'interrompt Florence, pas pour les lions!

— Vraiment? dit David en fronçant les sourcils.

— Mais bien sûr! s'exclame Florence. Tout le monde sait ça!

— Ouais, répond David en rougissant. Je blaguais.

— Tu trouves que c'est le moment de faire des blagues? lui dis-je.

— C'est important de conserver son sens de l'humour en tout temps, fait remarquer M. Desméninges.

— Pas quand un lion veut nous mettre en pièces! dis-je.

— Tu as tort, Henri, insiste M. Desméninges. C'est dans un moment pareil que le sens de l'humour est *particulièrement* important.

Chapitre 27

3ᵉ grande leçon
de M. Desméninges

Il est important de conserver son sens de l'humour en tout temps, *particulièrement* quand un lion veut vous mettre en pièces.

Chapitre 28

Il est ici!

David est pratiquement en train d'hyperventiler à force d'essayer de se rappeler la méthode appropriée à utiliser quand un lion entre dans une classe.

— Attendez, ça me revient, dit-il enfin en suffoquant. Nous devons tous sauter sur place. Les vibrations dans le sol vont l'éloigner. Les lions ont beaucoup plus peur de nous que nous, d'eux!

Tout le monde se met à sauter lourdement.

— *Arrêtez!* crie Florence. Ça, c'est pour les *serpents!* Pas pour les lions! *Arrêtez!*

Mais personne n'arrête de sauter. Tout le monde s'amuse beaucoup trop.

— Oh non! gémit Florence. Tous les lions qui se trouvent à des centaines de kilomètres à la ronde vont être attirés dans notre classe à présent!

— Vois les choses du bon côté, dit M. Desméninges.

— Quel bon côté? demande Florence.

— Nous n'avons rien à craindre des serpents! s'exclame-t-il, le regard moqueur.

— Puis-je vous rappeler que ce n'est pas un serpent qui s'est échappé du cirque, déclare Florence, mais un *lion!*

— Chut! crie Gaëlle de sa voix puissante qui se fait entendre malgré le vacarme.

Tout le monde arrête aussitôt de sauter.

— Quoi? dis-je.

Gaëlle est debout sur une chaise et elle regarde par les fenêtres au haut du mur qui donnent sur le corridor.

Elle ne répond pas.

Elle se contente de crier.

— *Il est ici!* hurle-t-elle. Le lion est dans le corridor!

— Tu vois ce que tu as fait? dit Florence à David sur un ton de reproche.

— Je suis désolé! gémit-il. J'essayais seulement d'aider, tu sais!

Tout à coup, on entend un craquement énorme venant de la porte de la classe.

J'entrevois une grosse face aplatie en colère appuyée contre la fenêtre. Pour une fois, ce n'est pas Mme Malcommode qui vient dire à M. Desméninges de faire moins de bruit. C'est un lion. C'est *le* lion.

— Bonté divine, s'exclame M. Desméninges, regardez-le! Quelle bête *magnifique*! Pas étonnant qu'on surnomme le lion « le roi de la jungle »!

Le lion pousse de nouveau sur la porte.

La porte s'ébranle.

— Vite! lance Gaëlle qui, malgré son poignet cassé, se met à traîner un pupitre vers la porte. Aidez-moi à barricader la porte!

Mais c'est trop tard.

Avant que nous puissions aider Gaëlle, un autre

65

énorme craquement résonne. La porte sort de ses gonds.
Le lion saute par-dessus et entre dans la classe.

— Restez calmes, tout le monde! lance David.

Le lion pousse un rugissement.

David, lui, pousse un cri et saute par la fenêtre.

Chapitre 29

Chaton

Le lion rugit encore et avance vers la fenêtre comme s'il allait suivre David... mais il s'arrête soudainement, se retourne et fixe la moitié supérieure du corps de Janie.

Janie est toujours couchée dans la boîte magique et elle regarde le lion, horrifiée.

— Ne bouge pas, Janie, dit doucement M. Desméninges.

— Je ne peux pas de toute façon! dit-elle d'une voix très faible.

Le lion avance lentement vers elle.

Nous avons tous les yeux rivés sur lui.

Tous, sauf M. Desméninges qui, d'une main, s'empare d'une chaise et, de l'autre, défait sa ceinture, qu'il fait claquer au-dessus de la tête du lion comme si c'était un fouet.

Le lion se tourne vers lui et montre ses dents.

M. Desméninges agite la chaise devant le lion et fait claquer sa ceinture-fouet une autre fois. On jurerait qu'il a été dompteur de lion professionnel avant de devenir enseignant. Connaissant M. Desméninges, c'est probablement le cas.

Mais en dépit du talent de notre enseignant, le lion n'a

67

pas du tout envie d'être dompté.

Il pousse un rugissement dans la direction de M. Desméninges, puis se tourne de nouveau vers Janie.

À cet instant, au grand étonnement de tous, Lucas se met à parler.

Enfin, ça ressemble plutôt à un couinement, mais c'est quand même très brave de sa part.

— Laisse-la tranquille! crie-t-il d'une petite voix aiguë.

Le lion se tourne vers lui.

— Oups! gémit Lucas.

À ce moment précis, le lion ouvre sa grande gueule et rugit.

Lucas, effrayé, lève les bras. Sa patte de lapin porte-bonheur lui sort des mains et s'envole droit vers la tête du lion.

La patte de lapin pas-très-chanceuse finit sa course dans la gueule ouverte du lion et va se coincer tout au fond de sa gorge.

Le rugissement se transforme alors en un râle étranglé. Le lion se met à avoir des haut-le-cœur et à produire un étrange bruit de toux, exactement comme un chat qui essaie de recracher une boule de poils.

— Que quelqu'un *fasse* quelque chose! supplie Janie, qui ne supporte pas de voir qui que ce soit souffrir, même pas une vilaine bête qui envisageait de la dévorer quelques minutes auparavant. Le pauvre animal est en train de s'étouffer!

— Pas de frousse, Desméninges à la rescousse! clame

notre enseignant.

Posant sa chaise et sa ceinture, il bondit au secours du lion. Il enserre solidement le cou de la bête d'un bras, pendant qu'il fouille dans sa gorge de l'autre.

Il réussit à retirer la patte de lapin de la gueule du lion. Elle est couverte de bave, mais elle est intacte.

— Tiens, Lucas, dit-il en lançant la patte de lapin dégoulinante à l'autre bout de la classe.

Lucas l'attrape et sourit.

— Merci, monsieur Desméninges, dit-il.

— Non, merci à *toi*, Lucas, le corrige M. Desméninges. Tu as réfléchi très rapidement. Si tu n'avais pas été là, Janie aurait été dévorée vivante sous nos yeux... enfin, la moitié supérieure de son corps, à tout le moins!

Le sourire de Lucas s'efface aussitôt.

— Mais ça ne s'est pas produit! s'exclame aussitôt Janie. Merci, Lucas!

Lucas réussit à esquisser un petit sourire en guise de réponse.

Le lion lèche la main de M. Desméninges.

— Rendez service à un lion et il deviendra votre ami pour la vie, déclare notre enseignant en tapotant la tête de l'animal. Ce n'est rien d'autre qu'un gros chaton, en réalité. Il a même un collier avec une clochette et une plaque avec son nom. Voyons comment il s'appelle...

M. Desméninges retourne la plaque et lit.

— Comme c'est drôle! s'exclame-t-il. Il s'appelle justement *Chaton*!

En entendant son nom, le lion se met à ronronner de

plaisir et à donner des coups de museau affectueux à M. Desméninges.

En entendant son nom, je sens mon estomac se nouer.

Janie a utilisé le crayon pour se représenter avec un chaton.

Elle l'a eu, son « chaton »... et il a failli la tuer.

Le crayon n'est pas seulement dangereux. Il est aussi doté d'un sens de l'humour plutôt morbide.

— J'aimerais sortir de la boîte à présent, dit Janie. Pouvez-vous me remettre en un seul morceau?

— Bien sûr! répond M. Desméninges. Je vais d'abord avertir le cirque que nous avons trouvé son lion et je reviens tout de suite!

Chapitre 30

Guide de M. Desméninges pour se protéger des lions qui entrent dans les classes

En lisant le chapitre précédent, vous avez peut-être commencé à vous inquiéter à l'idée de voir un lion entrer dans votre propre classe. Ne vous faites surtout pas de souci : ça ne se produira probablement jamais.

Malgré tout, suite à l'irruption du lion dans notre classe, M. Desméninges a pondu ce petit guide pratique pour se protéger des lions.

Nous l'avons accroché au mur de notre classe. J'ai pensé que ce serait une bonne idée que vous en fassiez une copie à afficher dans votre propre classe.

Comme dit la mère de Janie, mieux vaut prévenir que guérir.

1. Gardez le corridor bien éclairé en tout temps, de manière à voir tout lion qui s'y aventurerait.
2. Gardez le corridor dégagé en tout temps, afin que le lion ne puisse pas s'y cacher. Faites en sorte qu'il soit difficile pour le lion d'approcher sans être vu.
3. Faites beaucoup de bruit si vous êtes dans l'école entre la tombée de la nuit et l'aube, car c'est la période où les lions sont actifs.

4. Gardez la porte de la classe fermée en tout temps. Ne laissez jamais un lion entrer dans votre classe, même s'il vous le demande très gentiment.

5. Quand vous sortez de la classe, déplacez-vous en groupes et faites beaucoup de bruit, afin de réduire vos chances de surprendre un lion. C'est une bonne idée d'avoir un bâton de marche solide à portée de la main, car vous pourrez l'utiliser pour repousser le lion, au besoin. Restez ensemble et à la vue les uns des autres en tout temps.

6. Ne vous approchez jamais d'un lion, surtout s'il est en train de manger ou s'il est accompagné de ses petits. La plupart des lions vont essayer d'éviter la confrontation. Laissez-leur une voie d'échappement.

7. Restez calmes si un lion fait irruption dans votre classe. Parlez-lui d'une voix posée mais ferme, et déplacez-vous lentement.

8. Immobilisez-vous ou reculez à pas lents, si vous pouvez le faire en toute sécurité. Ne courez pas : cela risque de stimuler l'instinct de chasse et d'attaque du lion. Placez-vous face au lion et restez debout.

9. Essayez de paraître le plus gros possible. Levez les bras et ouvrez votre blouson si vous en portez un.

10. Si le lion fait preuve d'agressivité, lancez-lui des livres ou des trousses à crayons, sans toutefois vous accroupir ou lui tourner le dos. Agitez lentement les bras et parlez-lui d'une voix ferme.

Votre but est de convaincre le lion que vous n'êtes pas une proie et que vous pourriez représenter un danger pour lui.

11. Si le lion vous attaque, défendez-vous. On a déjà vu des lions déguerpir en voyant leur proie riposter. Des gens ont déjà réussi à repousser un lion à l'aide de pierres, de bâtons, de manteaux, d'outils de jardinage ou même de leurs mains nues. Restez debout ou, si vous tombez, tentez de vous relever.

Chapitre 31

Mon rêve

Cette nuit-là, je rêve que je cours dans un corridor d'école sans fin, pourchassé par un lion.

Mais pas par un lion normal.

Par un lion-crayon.

Sa crinière n'est pas faite de poils. Elle est faite de crayons.

Ses griffes ne sont pas des griffes normales. Ce sont des crayons ultra aiguisés.

Je cours et je cours, mais peu importe la vitesse à laquelle je vais, le lion est toujours sur mes talons.

Je peux sentir son souffle. Il a une odeur de copeaux de crayon.

Pendant que je cours, je vois des rangées et des rangées de visages d'élèves effrayés qui me regardent depuis la sécurité de leur salle de classe. Toutes les portes sont verrouillées. Je ne peux me cacher nulle part.

Finalement, alors que je commence à me fatiguer, le lion bondit sur moi.

Je me retourne et lève les yeux vers l'animal terrifiant. Chaque crayon de sa crinière tremble. Quand il ouvre sa gueule énorme, j'y vois, non pas une rangée de dents, mais des rangées et des rangées de crayons bien aiguisés qui descendent profondément dans sa gorge.

Je m'éveille en nage.

Ce lion était vraiment terrifiant.

Et le crayon l'est encore plus.

Chapitre 32

Le réveil

Quand je m'éveille, je suis sur le plancher de ma chambre. Il y a des copeaux de crayons tout autour de moi, mais je suis incapable de dire s'ils étaient là avant que je ne me couche ou s'ils viennent du lion-crayon.

Mais ce que je sais, c'est que ce crayon ne vaut rien de bon.

M. Desméninges a failli mourir étouffé et il est tombé par la fenêtre.

Fred et Olivier sont hospitalisés.

Jacob peut se compter chanceux de ne pas être en prison.

Gaëlle s'est cassé le poignet, j'ai failli perdre la tête et, maintenant, Janie a été coupée en deux et s'est presque fait dévorer par un lion.

Enfin, si Janie a été coupée en deux, ce n'est pas vraiment la faute du crayon, mais tout le reste l'est à coup sûr.

Que fera-t-il à présent? Ou plutôt... qui sera sa prochaine victime?

Je dois me débarrasser de ce crayon avant que quelqu'un d'autre ne se blesse.

Le problème, c'est que je ne l'ai pas.

Il est à l'école. Je l'ai laissé dans ma trousse à crayons, sur mon pupitre.

Connaissant l'attachement de Jacob pour ce crayon, je ne crois pas qu'il sera ravi d'entendre que j'ai l'intention de le détruire.

Je dois me rendre à l'école et m'en débarrasser avant l'arrivée de Jacob.

Je regarde l'heure.

Il est 7 h 30.

Si je me dépêche, je peux y arriver.

Je me lève, pousse les copeaux de crayons sous mon lit avec mon pied et sors de ma chambre en courant.

Chapitre 33

Retour en arrière

Je retourne dans ma chambre un moment plus tard quand je me rends compte que je suis encore en pyjama.

J'enlève mon pyjama.

Je m'habille.

J'avale mon déjeuner.

Je me brosse les dents.

Puis je sors en courant de la maison et file jusqu'à l'école.

Chapitre 34

Crayon en cavale

Il n'y a que quelques élèves dans la cour quand j'arrive à l'école.

Je gravis les marches, longe le corridor et entre dans la classe 5B.

La classe est encore un peu en désordre après l'attaque du lion hier. Nous n'avons pas pu la remettre en ordre parce que M. Desméninges nous a donné congé pour le reste de la journée (après avoir remis Janie en un seul morceau, bien sûr).

Ma trousse à crayons est sur mon pupitre. Je l'ouvre délicatement.

Le crayon n'y est pas.

J'ai alors un pressentiment et je décide de jeter un coup d'œil dans le pupitre de Jacob.

Je soulève le dessus du pupitre, puis, après avoir vérifié que je suis toujours seul, je m'empare de la trousse à crayons de Jacob.

Je referme le pupitre soigneusement et tire la fermeture à glissière de sa trousse.

Elle ne s'ouvre pas.

Je tire encore.

Elle ne s'ouvre toujours pas.

Je tire encore plus fort.

Cette fois, elle s'ouvre… et tout son contenu se répand sur le plancher avec fracas.

Je lève les yeux en espérant de tout cœur que Jacob n'est pas debout dans l'embrasure de la porte.

Il n'y est pas. Je suis encore seul.

Je me penche et commence à ramasser les stylos et les crayons pour les remettre dans la trousse de Jacob.

Des stylos, des crayons, mais aussi des gommes à effacer, des taille-crayons, des marqueurs, des règles, des agrafeuses : je suis stupéfait de voir tout le matériel qu'il réussit à faire entrer dans une trousse à crayons.

Une seule chose n'y est pas : mon crayon!

Je me relève et replace la trousse dans le pupitre de Jacob.

Il doit avoir deviné mes intentions et a dû apporter le crayon chez lui pour le garder en sécurité.

Je serre le poing et donne un coup sur le pupitre.

Je n'ai pas été assez rapide.

C'est seulement à ce moment-là que je l'entends… un bruit faible à l'autre bout de la classe.

Je regarde dans cette direction.

C'est le crayon. Il se dirige vers la porte en roulant sur le plancher!

J'ignore s'il roule grâce à l'élan que sa chute par terre lui a donné ou s'il essaie tout bonnement de s'échapper… mais je sais une chose, c'est que je dois l'arrêter avant qu'il franchisse cette porte.

Je traverse la pièce d'un bond et atterris de tout mon

long devant la porte, juste avant le crayon.

Je lève les yeux.

Il roule vers moi et s'apprête probablement à rouler par-dessus moi, mais je tends le bras et l'agrippe juste à temps.

Je frissonne.

J'ai l'impression que le crayon se tortille dans ma main comme s'il était vivant.

Eh bien, il ne vivra plus très longtemps.

Je me relève et m'élance dans le corridor, jusque dans la cour, à la recherche d'un bon endroit pour m'en débarrasser.

Mais avant que je puisse le faire, je vois Jacob et Janie arriver dans la cour par l'entrée opposée.

— Salut, Henri! me lance Jacob.

Oh non!

Je regarde autour de moi.

Il y a une poubelle quelques mètres plus loin.

Je n'ai pas le choix.

Je lance le crayon dedans et traverse la cour pour aller à leur rencontre.

— Salut, Jacob! dis-je avec un air aussi détendu que possible. Salut, Janie! Comment ça va?

— Ça va, répond Janie. Mais toi, comment vas-tu? Tu as l'air contrarié.

— Je vais bien! dis-je, un peu trop vite peut-être.

— En es-tu sûr? demande Jacob. Tu n'as pas vraiment l'air bien.

— Bah, tu sais, je dois être encore un peu secoué par

ce qui est arrivé hier.

Jacob s'approche de moi et hoche la tête.

— Je crois que nous le sommes tous, déclare-t-il. Penses-y un peu. De toutes les écoles de Nordouest, le lion a choisi l'école Sudest de Nordouest de Centreville, et de toutes les classes de l'école, il a choisi la nôtre! Tu parles d'une malchance!

— Peut-être que c'était une malchance, dis-je, mais peut-être que ce n'en était pas une.

— Qu'est-ce que tu veux dire, Henri? demande Janie. Que ce n'était pas une malchance?

— Qui sait? lui dis-je. De toute façon, j'imagine que ça n'a aucune importance. C'est fini, à présent.

Je hausse les épaules, me sentant soudainement l'esprit libre et léger. Le crayon est en lieu sûr, dans la poubelle. Il ne pourra plus faire de mal à qui que ce soit maintenant.

Enfin, c'est ce que je crois...

Chapitre 35

Les souhaits

— La journée d'hier a été très excitante, n'est-ce pas? demande M. Desméninges.

— Excitante? répète David. Janie a failli mourir!

— Et toi, tu n'as rien fait pour l'aider! lance Gaëlle.

— Qu'est-ce que tu veux dire par là? demande David.

— Tu as eu tellement peur que tu as sauté par la fenêtre!

David secoue la tête.

— Je n'ai pas sauté par la fenêtre parce que j'avais peur, rétorque-t-il. Je l'ai fait pour aller chercher de l'aide!

— En sautant par la fenêtre? répète Gaëlle.

— Je ne pouvais quand même pas sortir par la porte : il y avait un lion devant!

— C'est bon, on se calme, intervient M. Desméninges. Tout s'est bien terminé. Et grâce à la présence d'esprit de Lucas, personne n'a été blessé.

Lucas rougit comme une tomate.

— Ce n'était pas vraiment de la présence d'esprit, explique-t-il. J'ai eu tellement peur quand le lion a rugi que j'ai levé les bras en l'air et échappé ma patte de lapin porte-bonheur.

— N'empêche, tu as réussi à distraire Chaton au moment crucial et, ainsi, sauvé la vie de Janie! dit M. Desméninges. Tu devrais être très fier de toi, Lucas. Non seulement tu as sauvé Janie, mais tu as aussi affronté 9 de tes 10 plus grandes peurs en même temps!

— J'ai encore peur des lions, réplique Lucas.

— Oui, mais Janie est en vie, et c'est ça qui est important! souligne M. Desméninges.

— J'aurais préféré que ce soit un poney qui se soit échappé du cirque, fait remarquer Gina.

— J'aurais préféré que ce soit toute une bande poneys, renchérit Paméla. Des poneys qui danseraient et qui seraient ornés de plumes et de selles scintillantes!

— Parlant de poneys, dit M. Desméninges, comment vont vos chevaux, les filles?

— Le lion s'est attaqué à eux, répond tristement Gina.

— Est-ce qu'ils s'en sont tirés? demande Janie.

— Ils sont à l'hôpital, répond Paméla.

— Dans un état très grave, ajoute Gina.

— Je suis désolé d'entendre ça, répond M. Desméninges.

Jacob soupire et roule des yeux.

— Pas moi, déclare-t-il. Je suis désolé que ce n'ait pas été une attaque de tyrannosaure. Il aurait marché sur les chevaux, il aurait écrabouillé l'école au grand complet et nous aurions eu congé pour le reste de l'année!

— Prends garde à ce que tu souhaites, Jacob, le

prévient M. Desméninges, car tes souhaits pourraient bien être exaucés.

— C'est ce que ma mère dit toujours, intervient Janie.

— C'est une sage femme, fait remarquer M. Desméninges. Les souhaits sont dangereux. Parfois, ils se réalisent, mais pas toujours de la façon qu'on l'espérait. Mon père m'a déjà raconté une histoire à propos d'un de ses amis qui... Non, je ne peux pas vous raconter ça... C'est bien trop effrayant pour un mercredi matin.

— Ooooh! grogne la classe à l'unisson. Racontez-nous! S'il vous plaît!

M. Desméninges secoue la tête.

— Non... Je ne peux pas... Ce... Ce n'est vraiment pas convenable...

— S'il vous plaît! le supplions-nous. S'il vous plaît!

M. Desméninges regarde la porte. Puis il hausse les épaules.

— Bon, d'accord, mais ne dites à personne que je vous ai raconté cette histoire... Et surtout, n'oubliez pas que je vous ai prévenus!

Chapitre 36

La patte de singe

M. Desméninges se place devant son bureau et se penche vers nous.

— Cette histoire est arrivée à un ami de mon père, commence-t-il. Un voyageur lui avait donné une patte de singe en lui jurant qu'elle avait le pouvoir d'accorder trois souhaits à son propriétaire.

— Une *patte* de singe? répète Florence. Les singes n'ont-ils pas des pieds et des mains?

— Oui, répond M. Desméninges, mais on les appelle parfois pattes.

— Je vois, dit Florence en notant le tout.

M. Desméninges reprend son récit.

— Évidemment, l'ami de mon père était sceptique. Qui aurait pu l'en blâmer? Après tout, quelles propriétés magiques une patte de singe pourrait-elle bien posséder? Finalement, son fils l'a pressé d'essayer.

L'ami de mon père a protesté, disant qu'il n'avait besoin de rien, mais son fils a insisté et a fini par convaincre son père de souhaiter avoir les 20 000 $ qu'il leur restait à payer sur la maison. Ils ont attendu et attendu, mais rien ne s'est passé. L'homme a posé la patte de singe sur la cheminée, a ri d'y avoir cru et est allé se coucher.

Le lendemain, cependant, il a reçu la visite d'un homme qui travaillait à la même manufacture que son fils. Cet homme a raconté à l'ami de mon père que le fils avait été tué dans un terrible accident, le matin même. Ses vêtements s'étaient pris dans un engrenage et il avait été entraîné dans une machine.

L'ami de mon père et sa femme ont été dévastés par cette nouvelle. Ils ont été encore plus bouleversés quand le représentant de la compagnie leur a remis un chèque de 20 000 $ en guise de dédommagement.

L'ami de mon père avait fini par obtenir ce qu'il avait souhaité, mais pas du tout de la manière dont il l'avait imaginé... À vrai dire, il l'avait obtenu d'une manière si horrible qu'il souhaitait ne jamais avoir désiré quoi que ce soit.

M. Desméninges prend une grande respiration.

La classe est complètement silencieuse.

— C'est ainsi que l'histoire se termine? demande Florence.

— Si seulement... soupire M. Desméninges. Hélas, non! Un soir, quelques semaines après l'enterrement de leur fils, dans un cimetière à trois kilomètres de leur maison et avoir vécu un deuil difficile, la femme a eu une idée soudaine. Elle s'est assise dans le lit et a dit : « La patte de singe! Il nous reste deux souhaits! Nous pourrions demander que notre fils retrouve la vie, non? »

L'ami de mon père a beaucoup hésité. Après tout, la patte de singe lui avait déjà joué un mauvais tour. Mais sa femme n'en démordait pas, alors il a fini par prendre la patte de singe dans sa main et a fait le souhait que son fils revienne à la vie.

— Le fils a-t-il retrouvé la vie? demande Lucas d'une voix tremblotante.

— Euh, non, répond M. Desméninges.

Toute la classe pousse un soupir de soulagement.

— Enfin, pas au début...

Toute la classe a le souffle coupé.

— L'homme et la femme sont retournés se coucher, continue M. Desméninges, mais deux heures plus tard, ils ont entendu un coup frappé à la porte d'entrée. « Qu'est-ce que c'est? » a demandé la femme. « Des rats », a répondu l'homme. « Non, a repris la femme, c'est notre fils! Il est revenu. Nous aurions dû y penser! Le cimetière est à trois kilomètres d'ici. Il lui a fallu tout ce temps pour rentrer à pied! »

Un autre coup a été frappé à la porte... puis un autre... et encore un autre... Avant que l'ami de mon père ne puisse l'en empêcher, sa femme a bondi hors du lit et est descendu au rez-de-chaussée.

Mais pas lui. Il avait un mauvais pressentiment. Un très mauvais pressentiment.

Le corps de leur fils avait été broyé par une machine. Vu la manière dont la patte de singe s'était moquée d'eux la première fois, il se méfiait. Même si leur fils était en vie, qui pouvait dire dans quel état il serait ou même s'il s'agirait véritablement de leur fils?

Toc, toc, toc!

L'homme a plongé par terre et cherché la patte de

singe qu'il avait laissé tomber après son deuxième souhait. Il devait la retrouver avant que sa femme n'ouvre la porte.

Toc, toc, toc!

L'homme a entendu sa femme déverrouiller la porte.

Toc, toc, toc!

Il a farfouillé furieusement dans l'obscurité, à la recherche de la patte...

Juste au moment où sa femme allait ouvrir la porte, l'homme a retrouvé la patte, l'a serrée fort dans sa main et a souhaité que son fils, ou ce qui en restait, meure de nouveau.

Sa femme a ouvert la porte et n'a rien trouvé d'autre que le vent qui soufflait.

Toute la classe frissonne quand M. Desméninges termine son récit. Nous ne pouvons pas nous empêcher d'imaginer ce qui aurait pu se trouver derrière cette porte.

Puis, tout à coup...

Chapitre 37

Toc, toc, toc!

Toc, toc, toc!

On cogne à la porte de notre classe.

Tous les élèves crient et se lèvent en même temps.

Tous, sauf David Brillant.

David va un peu plus loin.

Il saute par la fenêtre... encore une fois!

Lucas émet l'étrange son ultra-aigu qu'il a fait hier, projetant du même coup sa patte de lapin en travers de la classe, dans un geste tout à fait involontaire, jusque dans la figure de la surveillante de corridor, une fille de troisième année, qui vient d'ouvrir notre porte.

— Aïe! fait-elle.

— Pas de panique, les enfants, dit M. Desméninges en souriant, ce n'est que la surveillante de corridor.

Il ramasse la patte de lapin de Lucas et la lui renvoie.

— Je vais avertir David, dit Jacob en se levant et en se penchant par la fenêtre. C'est bon, David, ce n'est ni un lion ni un ouvrier broyé! C'est la surveillante de corridor!

— Je le savais! répond David. Ne va pas t'imaginer que j'ai sauté par la fenêtre parce que j'avais peur. J'avais juste besoin d'un peu d'air frais.

— C'est ça, David, dit Jacob avec un sourire. Comme tu voudras!

— Ça suffit, Jacob, rigole M. Desméninges en se retournant vers la fille. Alors, que peut-on faire pour toi?

— Désolée de vous interrompre, dit la surveillante qui semble pas mal décontenancée par le comportement de notre classe. Je m'occupais de vider les poubelles quand j'ai trouvé ce crayon dans l'une d'elles. C'est un excellent crayon et... bon, le nom d'un de vos élèves est inscrit dessus : Henri Tournelle.

Je suis stupéfait de revoir le crayon.

Extrêmement stupéfait.

À vrai dire, je suis tellement stupéfait que mon cœur cesse de battre.

Puis il se remet à battre, ce qui est une bonne chose, car sinon je n'aurais pas pu écrire cette phrase.

Ni celle-ci.

Ni celle-ci.

Ni... bon, vous voyez ce que je veux dire.

M. Desméninges prend le crayon et la remercie.

— Tiens, Henri, dit-il en me le tendant. Il paraît qu'il est à toi.

— Merci, dis-je, même si je ne ressens absolument aucune gratitude.

Moi qui croyais ne jamais revoir ce crayon de malheur.

— Qu'est-ce qu'il faisait dans la poubelle? chuchote

Jacob. Tu t'en étais débarrassé?

— J'ai essayé, dis-je, mais il est clair que le crayon n'était pas d'accord avec cette idée!

— Donne-le-moi si tu n'en veux plus! suggère Jacob.

— Je ne peux pas, lui dis-je. Il est trop dangereux.

Jacob roule les yeux.

Je fais rouler le crayon entre mes doigts.

Mon nom est bien écrit dessus, sur un des côtés.

Ce qui est bizarre, c'est que je ne me souviens pas d'avoir écrit mon nom sur ce crayon.

Bien sûr, c'est possible que je l'aie écrit, mais je ne me *souviens* pas de l'avoir fait. Ce qui est très bizarre.

Mais bon, *tout* est bizarre avec ce crayon.

Y compris le fait qu'il semble très difficile de s'en débarrasser.

Chapitre 38

L'île au Crâne

Après le dîner, je fausse compagnie à Jacob et me dirige droit vers l'île au Crâne, une petite butte qui s'élève sur le terrain de l'école. C'est là que j'ai trouvé le trésor de M. Barbeverte.

Je me dis que, si je ne peux pas me débarrasser du crayon, je vais tout simplement le remettre dans le sol, là d'où il vient.

Il est resté là-dessous pendant au moins 30 ans sans faire de mal à personne. En ce qui me concerne, il peut bien y retourner pour 30 ans de plus.

Ou encore mieux, pour 30 000 ans.

Mais je ne m'étais pas rendu compte à quel point Jacob était attaché à ce crayon.

Je commence à peine à gratter la surface du sol quand je me rends compte qu'il est derrière moi.

Je me retourne et lève les yeux vers lui.

— Donne-le-moi! siffle-t-il, la main tendue.

— Non, dis-je, il est trop dangereux. Je vais m'en débarrasser une fois pour toutes.

— Tu devras d'abord me passer sur le corps! réplique Jacob.

— Si c'est ce qu'il faut, dis-je. Mais j'espère vraiment

que ce ne sera pas nécessaire.

— Donne-moi une seule bonne raison pour laquelle tu dois t'en débarrasser, insiste Jacob.

— Une seule? dis-je. Je peux t'en donner bien plus que ça! Plusieurs personnes ont été blessées, Jacob. Et je ne tiens même pas compte des chevaux de Gina et de Paméla qui sont tous deux à l'hôpital dans un état très grave!

— Es-tu devenu complètement fou? demande Jacob. Ce sont des chevaux imaginaires! Quant à tout le reste, ce ne sont que de pures coïncidences! Ce n'est pas le crayon qui a fait tomber M. Desméninges par la fenêtre : il est parfaitement capable de le faire tout seul. Fred et Olivier sont tombés du toit à cause de leur propre stupidité, pas à cause du crayon. Moi, j'étais au mauvais endroit, au mauvais moment, et c'est pour ça qu'un gros sac d'argent m'est tombé dessus. Toi, tu étais au mauvais endroit, au mauvais moment, et c'est pour ça qu'un gros chèque en carton t'a frappé! Gaëlle est tout simplement trop forte et Janie a été attaquée par un lion et non par le chaton qu'elle avait dessiné! Tu ne peux pas accuser le crayon de quoi que ce soit!

— Mais le lion s'appelait Chaton! dis-je.

— Écoute-toi parler, Henri. Tu es ridicule!

— Non, je ne suis pas ridicule, je suis prudent, dis-je. C'est pour ça que je remets ce crayon dans le sol d'où il est sorti. Et où il peut rester. Pour toujours!

Je me retourne et me remets à creuser.

Soudain, je sens Jacob sur mon dos. Il me tire vers l'arrière et je tombe à la renverse. Quand je me relève, je le vois qui tient le crayon avec un air triomphant. Il est clair que, non satisfait de tous les malheurs qu'il a déjà causés, le crayon a maintenant pris le contrôle de l'esprit de Jacob. Les yeux de mon ami luisent comme ceux de la tête de mort.

— Allez, Jacob, dis-je en me relevant. Rends-moi le crayon.

— Non, répond Jacob. Il est à moi maintenant! Seulement à moi!

Je fais un pas vers lui.

— Rends-le-moi, Jacob. S'il te plaît.

— Reste où tu es! dit-il en me menaçant avec le crayon comme si c'était un couteau.

— Ne fais pas de bêtise, Jacob, dis-je en faisant un autre pas. Pose le crayon par terre, éloigne-toi et personne ne sera blessé.

Jacob regarde le crayon. Puis il me regarde. Puis il regarde de nouveau le crayon.

Et voilà qu'il s'élance vers moi en hurlant, le crayon tendu devant lui comme si c'était une épée.

Il est clair qu'il ne plaisante pas.

Mais moi non plus.

Je m'enlève de son chemin, tend ma jambe et le fait trébucher.

Il perd l'équilibre et tombe tête première par terre. Il ne parvient pas à s'arrêter et déboule jusqu'en bas de la butte.

Je cours derrière lui.

Il est étendu sur le dos, les yeux fermés, et il ne bouge

pas, mais il serre toujours le crayon dans sa main.

Je lui arrache le crayon de la main et le cache dans mon blouson. Je me dis que je m'en occuperai plus tard. Pour le moment, je dois m'occuper de Jacob.

Je le secoue doucement. Il a une écorchure sur le front.

— Jacob? lui dis-je. Est-ce que ça va?

Il cligne des yeux, bafouille, puis me regarde droit dans les yeux.

— Qui es-tu? demande-t-il.

— Je suis Henri, dis-je. Ton ami.

— Hum… fait-il en hochant la tête. Et moi, comment je m'appelle?

— Jacob, dis-je. Jacob Lepitre.

— Jamais entendu parler de ce gars-là, dit-il.

Chapitre 39

M. Dutonus

J'aide Jacob à se relever, puis, après avoir placé son bras autour du gros bandage de mon cou, je lui fais traverser la cour et le conduis vers l'infirmerie.

— Où allons-nous? demande Jacob.

— Je t'amène voir Mme Petitsoins, lui dis-je.

— Qui est Mme Petitsoins?

Je n'arrive pas à le croire.

— Tu ne connais pas Mme Petitsoins? Oh là là! Tu es *vraiment* mal en point!

De toute évidence, Jacob souffre d'une amnésie grave.

Tout le monde connaît Mme Petitsoins.

C'est elle qu'on va voir quand on est malade ou blessé.

Peu importe la raison de notre visite, elle nous met des pansements.

Coupure, contusion, mal de tête, estomac à l'envers : des pansements... beaucoup de pansements, toujours accompagnés d'un beau grand sourire.

Le plus étrange, c'est que, peu importe ce dont on souffre, que ce soit une coupure, une contusion, un mal de tête ou un estomac à l'envers, ou n'importe quel autre malaise imaginable, les pansements nous font *toujours* du bien. À moins que ce ne soit le sourire. Enfin, peu importe, je sais qu'elle sera capable de régler l'amnésie de Jacob.

En route, nous longeons le stationnement des enseignants.

M. Dutonus, notre enseignant d'éducation physique, est debout à côté de son Hummer H3 flambant neuf, une affreuse voiture de « m'as-tu-vu » inutilement énorme. En fait, *voiture* n'est pas vraiment le bon mot, car ce véhicule est assez gros et assez solide pour qu'on le prenne pour un char d'assaut.

Un groupe d'élèves fanatiques de voitures se presse autour de lui.

— Vous devez comprendre, explique M. Dutonus, que le Hummer H3 est la voiture la plus puissante jamais construite. Elle pèse plus de 3 000 kilos, ce qui en fait la voiture la plus lourde sur le marché!

Cette révélation déclenche un tonnerre d'applaudissements chez ses admirateurs.

— Merci, dit M. Dutonus en s'assoyant dans le siège du conducteur. Bon, eh bien, je dois y aller. J'ai du pain sur la planche ou plutôt... du caoutchouc à brûler.

Il fait démarrer le moteur.

Ça produit un gros rugissement et fait sortir un nuage de fumée noire et opaque à l'arrière du véhicule. Puis, en faisant crisser ses quatre pneus sur l'asphalte et en répandant à tous vents une odeur de caoutchouc brûlé, M. Dutonus quitte rapidement le stationnement. Le véhicule dérape, puis s'élance sur la route. M. Dutonus prend bien soin d'appuyer longtemps sur le klaxon afin que le plus d'élèves possible le remarquent.

Ses admirateurs applaudissent une dernière fois, puis retournent à leur petite vie ennuyeuse, en attendant son retour.

Je secoue la tête en songeant à ce prétentieux de M. Dutonus. Ses cours d'éducation physique consistent essentiellement en des démonstrations. Il se fait un plaisir de nous montrer en détail comment pratiquer tel ou tel sport. Parfois, la démonstration dure toute la période, et le seul exercice que nous faisons, c'est enfiler nos vêtements de sport au début du cours et les retirer à la fin. C'est quand même mieux que les cours où nous *pratiquons* réellement un sport, car M. Dutonus en profite habituellement pour critiquer nos efforts et souligner tout ce que nous ne faisons pas aussi bien que lui.

— C'était qui, lui? demande Jacob.

— M. Dutonus, dis-je.

— Quel prétentieux!

— Ça, tu peux le dire!

Une idée prend forme dans mon esprit pendant que je regarde le Hummer de M. Dutonus disparaître au loin.

Il est clair qu'il faudra plus qu'une poubelle ou qu'un trou dans le sol pour me débarrasser du crayon.

Mais 3 000 kilos de puissance de Hummer devraient faire l'affaire.

Pour ça, il me suffit d'attendre à la fin de la journée et de glisser le crayon sous l'un des pneus du Hummer. En un rien de temps, le crayon ne sera rien de plus qu'un mauvais souvenir.

Mais je dois d'abord conduire Jacob chez Mme Petitsoins.

Chapitre 40

Mme Rabat-Joie

Malheureusement, on ne peut pas se rendre directement au bureau de Mme Petitsoins.

Il faut d'abord passer devant Mme Rabat-Joie.

J'aide Jacob à gravir les marches et le fais entrer dans le secrétariat.

— Qu'est-ce que vous voulez? siffle Mme Rabat-Joie en nous fixant d'un air furieux.

— Qui êtes-vous? demande Jacob.

Mme Rabat-Joie le regarde encore plus durement. Si la chute de Jacob n'a pas déjà effacé toutes les données de son cerveau, le regard-laser de Mme Rabat-Joie se charge de les effacer pour de bon.

Jacob la regarde avec un air absent.

— Nous devons voir Mme Petitsoins, dis-je.

— Nous devons voir Mme Petitsoins *quoi*? demande sèchement Mme Rabat-Joie.

— Nous devons voir Mme Petitsoins, *s'il vous plaît*. Pourriez-vous l'avertir que nous sommes ici?

— Pourquoi devez-vous la voir?

— Voir qui? demande Jacob.

— Mme Petitsoins, répond Mme Rabat-Joie avec impatience. Pourquoi devez-vous la voir?

— Jacob a eu un accident, dis-je. Je crois que c'est sérieux.

Mme Rabat-Joie jette un coup d'œil au front de Jacob.

— C'est seulement une égratignure, dit-elle en haussant les épaules. N'embêtez pas Mme Petitsoins avec ça. Vous allez lui faire perdre son temps.

— C'est plus qu'une égratignure, dis-je.

— Est-ce que tu me tiendrais tête par hasard, jeune homme?

— Non, dis-je, mais c'est définitivement plus qu'une égratignure. Il ne se souvient *de rien*.

— Mais bien sûr qu'il se souvient, dit-elle d'un ton dédaigneux. Il s'amuse simplement à nous faire perdre notre temps. Allez jouer dehors. L'air frais vous fera du bien à tous les deux.

J'attends.

Mme Rabat-Joie me fixe.

— Eh bien, qu'attends-tu? finit-elle par demander.

— J'attends que vous informiez Mme Petitsoins que nous sommes ici, dis-je. Devrais-je plutôt aller chercher mon amie Gaëlle?

Comme Gaëlle et Mme Rabat-Joie ont eu un différend par le passé, je me dis que je peux peut-être m'en servir.

Ça fonctionne.

— Non, c'est bon, répond Mme Rabat-Joie d'une voix légèrement tremblante. Je vais dire à Mme Petitsoins que vous êtes ici.

Elle lève le combiné du téléphone.

— Attendez là. Et restez tranquilles... Je vous ai à l'œil!

Contre toute attente, Jacob et moi réussissons à rester tranquilles au cours des deux minutes qu'il faut à Mme Petitsoins pour arriver.

— Oh, pauvre petit chou! s'exclame-t-elle en apercevant Jacob.

Elle le mène gentiment dans son bureau.

Puis elle met le paquet.

Quand elle a terminé, la tête de Jacob est pratiquement couverte de pansements. Ses yeux et sa bouche sont les seules parties encore visibles.

Jacob affirme qu'il se sent mieux, mais il ne sait toujours pas qui est Mme Petitsoins, qui je suis, ni même comment il se nomme lui-même. Mme Petitsoins décide donc d'appeler ses parents pour qu'ils viennent le chercher.

Le nombre de victimes du crayon continue d'augmenter prodigieusement.

M. Desméninges, moi, Olivier, Fred, Gaëlle, Janie, le cheval de Paméla, le cheval de Gina et maintenant Jacob.

Qui sera la prochaine victime?

Eh bien, s'il n'en tient qu'à moi, personne.

J'ai un excellent plan en tête.

Chapitre 41

Le Hummer à l'honneur

Quand la sonnerie de fin de journée retentit, je file droit au stationnement. Je dois arriver avant les admirateurs de M. Dutonus qui vont venir lui dire au revoir.

Je sors le crayon de ma poche et le coince sous le pneu arrière gauche du Hummer. Le pneu ressemble davantage à un pneu de tracteur qu'à celui d'une voiture... un fait qui me réjouit beaucoup. Je sais que le crayon ne va pas se laisser faire bêtement, sans résister, mais à en juger par la grosseur et la largeur du pneu, je suis convaincu qu'il ne remportera pas ce combat.

J'essaie de ne pas regarder la gomme à effacer en forme de tête de mort avant de m'éloigner, mais je ne peux pas m'en empêcher.

Elle a l'air furieuse. Ses petits yeux noirs se plantent droit dans les miens.

Je traverse le stationnement et me dirige vers une rangée d'arbustes. Je vais m'y cacher. De là, je pourrai voir de mes yeux le crayon se faire écraser.

Je ne veux rien laisser au hasard.

Le groupe d'admirateurs de M. Dutonus ne tarde pas à arriver. Ils sont une demi-douzaine. Leur principal sujet de conversation est quel mouvement spectaculaire

M. Dutonus va utiliser pour sortir du stationnement cet après-midi. Va-t-il faire brûler le caoutchouc de ses pneus, tourner sur 360 degrés ou soulever ses roues avant du sol et avancer sur celles d'en arrière?

J'ai envie de leur crier « Vous n'avez rien de mieux à faire? », mais je ne le fais pas. Non seulement ça révélerait ma présence dans les arbustes, mais ça laisserait supposer que moi non plus, je n'ai rien de mieux à faire que de me cacher pour espionner des gars qui n'ont rien de bon à faire. Ce qui, *manifestement*, n'est pas mon cas.

J'entends M. Dutonus approcher en sifflotant et en faisant cliqueter ses clés qu'il garde sur une longue chaîne en or.

— Salut, les gars, lance-t-il au groupe.

— Salut, monsieur Dutonus, répondent-ils.

M. Dutonus déverrouille la voiture à distance, et la porte s'ouvre en produisant un bip.

Il monte dans sa voiture, fait démarrer le moteur et appuie quelques fois sur l'accélérateur. Le Hummer rugit.

M. Dutonus se penche par la fenêtre du conducteur.

— Reculez, les gars, dit-il, je vais vous montrer quelque chose de vraiment spécial!

Les garçons obéissent.

M. Dutonus appuie de nouveau sur l'accélérateur, ce qui remplit le stationnement de gaz d'échappement. Puis il sort à reculons de son espace de stationnement.

Je ferme les yeux et essaie tant bien que mal d'entendre le bruit du crayon qui se fait écrabouiller, malgré le vacarme que produit le moteur du Hummer.

Mais je n'entends aucun écrabouillement.

Tout ce que j'entends, c'est un crissement bizarre qui s'amplifie... s'amplifie... et s'amplifie encore!

J'ouvre les yeux.

Horrifié, j'aperçois le Hummer de M. Dutonus qui dérape, hors de contrôle... et qui fonce droit vers les arbustes où je suis caché!

Chapitre 42

Dutonus contre Malcommode

Je bondis juste à temps hors des arbustes.

Le Hummer n'aplatit pas seulement l'arbuste dans lequel j'étais caché, mais toute la rangée! Il arrache au passage une borne d'incendie, ruine une plate-bande et ne s'immobilise que lorsqu'il percute le côté d'une petite voiture verte.

Bon, de toutes les petites voitures vertes qu'on peut percuter, celle-ci est sûrement celle qu'on ne veut percuter *à aucun prix*. Pour la simple raison que cette petite voiture verte appartient à Mme Malcommode... et que Mme Malcommode peut se montrer très malcommode, merci.

La portière de la voiture verte s'ouvre et Mme Malcommode en sort.

Évidemment, elle est en colère. Très en colère.

— Dutonus! s'écrie-t-elle. Regardez ce que vous avez fait!

Les admirateurs de M. Dutonus prennent peur en voyant Mme Malcommode aussi furieuse et ils déguerpissent.

M. Dutonus aurait probablement *aimé* pouvoir déguerpir lui aussi, mais il ne peut pas. Il semble plutôt hébété et très instable sur ses pieds lorsqu'il descend de son Hummer.

— Je suis vraiment désolé, madame Malcommode, dit-il. Je ne sais pas ce qui s'est passé!

— Vous rouliez trop vite! rugit Mme Malcommode. Voilà ce qui s'est passé! Vous roulez *toujours* trop vite! Ça m'enrage! Nous ne conduisons pas des autos tamponneuses, vous savez!

— Non, madame Malcommode, dit M. Dutonus. Je le sais... et je suis vraiment désolé. C'est juste que j'ai totalement perdu le contrôle...

— Oui, parce que vous *roulez trop vite*! répète Mme Malcommode.

— Peut-être, mais ce n'est pas pour ça que j'ai perdu le contrôle. Une de mes roues arrière – je crois que c'était la gauche – a semblé se soulever du sol.

— Quand on conduit aussi vite que vous le faites, continue Mme Malcommode, ce n'est pas étonnant qu'une chose pareille finisse par arriver, pauvre idiot.

M. Dutonus s'accroupit pour examiner son pneu.

— On aurait dit qu'un objet était pris dedans... un bâton ou quelque chose comme ça...

En un éclair, je comprends ce qui a dû se passer.

Le crayon n'a pas été écrasé.

Il a saboté le pneu de M. Dutonus!

M. Dutonus va bientôt le trouver et quand il va le trouver, il verra que mon nom est dessus et alors... enfin, pour vous dire la vérité, je n'ose pas penser à ce « et alors... ».

Je dois aller chercher ce crayon avant que M. Dutonus

ne le trouve.

Par chance, Mme Malcommode n'en a pas encore fini avec M. Dutonus.

— À présent, écoutez-moi bien, Dutonus, grogne-t-elle. Et ayez la politesse de regarder la personne qui vous parle. Votre pneu arrière n'a rien d'anormal. Je le sais et vous le savez aussi. Nous savons tous les deux comment vous avez causé cet accident, n'est-ce pas? Parce que vous êtes un conducteur irresponsable, égoïste et égocentrique, qui se moque bien des droits des autres, tant sur la route qu'ailleurs, à ce que je vois!

Mme Malcommode ne le ménage pas.

Pendant qu'elle met le paquet, je parviens à ramper sous la voiture, à attraper mon crayon et à ressortir sans me faire voir d'eux. Pendant que je m'éloigne au pas de course, j'entends Mme Malcommode qui en rajoute :

— Une autre chose, Dutonus...

J'ai presque pitié pour M. Dutonus. J'ai peut-être beaucoup de problèmes, surtout avec ce crayon assassin qui nous a adoptés, mes amis et moi, mais pour rien au monde, je ne changerais de place avec M. Dutonus en ce moment!

Chapitre 43

Bon retour, M. Herbête

Cette nuit-là, je fais un autre cauchemar. Cette fois, des Hummer à dents de crayons et aux roues hérissées de crayons me pourchassent dans la cour de l'école.

Une fois encore, je me réveille par terre, en nage et tout tremblant.

Je dois me débarrasser de ce crayon de malheur... Mais comment?

Le lendemain, à l'école, le directeur Barbeverte convoque une assemblée spéciale à laquelle tout le monde doit assister.

Nous nous entassons tous dans l'amphithéâtre de l'école. Les enseignants sont postés autour de la salle, en divers endroits stratégiques.

Tout le monde est là.

Il y a les enseignants titulaires : M. Bancal, Mlle Sucrette, M. Topela, Mme Barnique, M. Desméninges et Mme Malcommode.

Il y a les autres enseignants : Mme Pastel, l'enseignante d'arts plastiques, M. Sainte-Paix, le bibliothécaire, et M. Dutonus, le m'as-tu-vu... euh, je veux dire l'enseignant d'éducation physique.

M. Dutonus semble s'être remis des réprimandes que

lui a faites Mme Malcommode hier après-midi. Mais celle-ci lui lance encore, de temps à autre, des regards furieux de l'autre bout de la scène.

Parlant de regards furieux, Mme Rabat-Joie est présente elle aussi. Elle promène son regard-laser sur l'assistance. Je ne crois pas qu'elle aime les assemblées. Elle trouve probablement qu'elles sont une perte de temps. Je dois reconnaître que je suis d'accord avec elle pour une fois.

Mme Petitsoins est là, elle aussi, une poignée de bandages à la main. Même si le risque de blessure physique au cours d'une assemblée d'école est relativement bas, j'imagine qu'il existe toujours le danger qu'un élève – ou qu'un enseignant – perde connaissance durant un des discours interminables de M. Barbeverte et que cette personne se frappe la tête sur la plancher.

Même M. Herbête, le jardinier de l'école, est présent. Il semble beaucoup plus calme que la dernière fois que je l'ai vu. Il avait été très affecté par le creusage intensif qui avait eu lieu à l'école quand pratiquement tous les élèves s'étaient lancés à la recherche du trésor de M. Barbeverte. En fait, ça l'avait tellement perturbé qu'il avait été forcé de prendre un congé pour cause de stress.

Ce qui – comme nous allons bientôt l'apprendre – est la raison principale de cette assemblée.

M. Barbeverte, resplendissant dans son uniforme blanc de la marine, parle en long et en large de l'école, qui est comme un gros navire dont il se considère le capitaine. Il nous rappelle qu'il est de son devoir de nous guider tous avec prudence sur l'imprévisible et parfois très dangereuse mer de la vie, et qu'il est de notre devoir à nous tous d'unir nos forces, de hisser les voiles, de manier les rames et de colmater les fuites, et tous les hommes sur le pont et yo-ho-ho, et partons la mer est belle, embarquons-nous pêcheurs… enfin, je m'égare un peu, mais autant que je puisse comprendre, c'est l'idée générale de son discours. Par chance, avant que je perde connaissance, que je m'effondre sur mon siège et que je me frappe la tête sur le plancher, le directeur arrive au point central de son discours, qui est de souhaiter un bon retour à bord à M. Herbête, suite à sa « permission à terre ».

— Et pour vous montrer à quel point nous apprécions votre travail à bord du bon navire *Sudest de Nordouest de Centreville*, nous sommes ravis de vous annoncer que les fonds recueillis lors de la récente campagne de financement « Construisez votre propre bateau » nous ont permis de vous offrir le nouveau compacteur à déchets de marque Gros Colosse dont vous avez toujours rêvé!

Le directeur fait signe à M. Herbête de monter sur scène.

M. Herbête s'avance jusqu'à l'estrade sous les applaudissements. Il est très touché par la gentillesse de M. Barbeverte et il essuie même quelques larmes quand le directeur et lui se saluent chaleureusement.

— Au nom de tout l'équipage du bon navire *Sudest de Nordouest de Centreville*, déclare M. Barbeverte, je vous souhaite un bon retour à bord et vous remets officiellement le manuel d'instructions du compacteur à déchets Gros

Colosse!

Il dépose dans les mains de M. Herbête un manuel de la taille d'un annuaire téléphonique.

Jacob, qui est assis à côté de moi, me tapote le bras. Il est de retour à l'école, même s'il souffre toujours d'amnésie temporaire. Les médecins pensent qu'il a de meilleures chances de retrouver la mémoire s'il évolue dans un environnement familier, entouré de gens qu'il connaît.

— Qui est-ce? murmure-t-il.

— C'est M. Herbête, dis-je, le jardinier de l'école.

M. Herbête se traîne jusqu'au micro.

— Je tiens à vous remercier tous pour cette délicate attention, dit-il. C'est bon d'être de retour. Grâce au compacteur à déchets Gros Colosse, doté d'une force brute de compactage de près de 300 000 kilos, j'aurai l'aide nécessaire pour remettre rapidement le terrain de l'école en excellente condition!

On entend d'autres applaudissements.

Je suis tout à fait éveillé à présent.

Une force brute de compactage d'environ 300 000 kilos.

Je sais quoi faire avec ça, moi!

Comme s'il lisait dans mes pensées, le directeur choisit ce moment pour nous rappeler à tous que la remise de M. Herbête – et le compacteur à déchets Gros Colosse – sont strictement interdits d'accès.

— Tout matelot qui enfreint ce règlement sera jeté dans une cellule et privé de nourriture et d'eau pendant toute une semaine. Est-ce que je me fais bien comprendre?

Nous hochons tous la tête.

— J'aimerais également profiter de l'occasion pour souhaiter un bon retour à l'école à Fred et à Olivier Rustaud, suite à leur récent séjour à l'hôpital. Prompt rétablissement à tous les deux.

Je me retourne.

Effectivement, Fred et Olivier sont assis quelques rangées derrière moi. Olivier a une jambe dans le plâtre et Fred a un bras en écharpe.

D'autres applaudissements saluent leur retour.

Je n'y participe pas.

Janie me donne un coup de coude.

— Henri! me sermonne-t-elle. Tu n'es pas très gentil!

— Ils n'ont jamais été très gentils avec moi non plus! dis-je.

Janie soupire.

— Qui sont Fred et Olivier? demande Jacob.

— Des gars pas très gentils, lui dis-je.

— Henri! s'écrie Janie.

Je hausse les épaules.

— Et maintenant, annonce M. Barbeverte, nous allons tous entonner le chant de l'école.

Ça c'est quelque chose que nous aimons vraiment faire.

Nous chantons tous en chœur. Il s'agit d'une version endiablée de *Il était un petit navire*, dans laquelle les mots « un petit navire » ont été remplacés par « une belle école Sudest de Nordouest de Centreville ».

C'est pas mal fou, mais nous nous amusons beaucoup. En fait, ce chant est de loin ce qu'il y a de plus amusant dans ce genre d'assemblées.

Je tapote le crayon qui est dans ma poche.

— Toi et moi, nous allons faire une petite promenade, dis-je.

Chapitre 44

Gros Colosse

Quand nous quittons la salle, j'entends le directeur inviter M. Herbête à prendre le thé dans son bureau.

C'est ma chance.

Je dois agir vite.

Je donne un petit coup de coude à Janie.

— Qu'y a-t-il? demande-t-elle.

— Je vais être un peu en retard en classe, dis-je.

— Pourquoi?

— J'ai une course à faire.

— Quel genre de course?

— Je ne peux pas te le dire.

Janie remarque que je regarde du côté de la remise de M. Herbête.

Elle secoue la tête.

— Je sais exactement ce que tu as l'intention de faire, dit-elle, et c'est tout à fait interdit par le règlement de l'école! Tu as entendu M. Barbeverte? Si tu te fais prendre, je ne donne pas cher de ta peau!

Je lui raconte comment j'ai failli être écrasé par le Hummer de M. Dutonus. Quand j'ai fini, Janie hoche la tête.

— C'est bon, dit-elle en songeant peut-être à sa propre

expérience de l'humour morbide du crayon. Mais je viens avec toi.

— Non, Janie! dis-je. J'ai besoin de toi pour me couvrir en classe. Et puis, c'est trop dangereux.

— Ouais, répond Janie, c'est trop dangereux pour que tu y ailles seul. Je t'accompagne, un point c'est tout. Après tout, nous allons seulement lancer le crayon dans le compacteur et mettre celui-ci en marche. Nous serons de retour en classe avant même qu'on ait remarqué notre absence.

— D'accord, dis-je.

Je sais qu'il ne sert à rien de discuter. Janie peut se montrer très entêtée quand elle le veut. Et puis, elle a raison : ce ne sera pas long.

Nous nous mettons à la fin de la file, puis, quand le reste de la classe tourne le coin pour se diriger vers notre classe, Janie et moi tournons dans la direction opposée et nous dirigeons vers la remise de M. Herbête.

Nous nous en approchons avec prudence, en nous assurant que personne ne nous a vus.

Après un dernier coup d'œil à la ronde, nous nous glissons à l'intérieur.

Le nouveau compacteur à déchets Gros Colosse de M. Herbête trône au centre de la remise.

Un bloc solide d'acier étincelant.

Affichées sur le côté, les spécifications vantent les pistons hydrauliques de 15 centimètres et une force brute de compactage de près de 300 000 kilos.

Si ce n'est pas assez pour venir à bout de mon crayon,

rien n'y parviendra.

— Eh bien, Henri, qu'attends-tu? demande Janie. Mets-le dedans!

— Je vais le faire! dis-je en examinant le tableau de bord. J'essaie de trouver comment le mettre en marche. C'est M. Herbête qui a le manuel d'instructions, tu te rappelles? Mais où est Guillaume Patente quand on a besoin de lui?

— Que penses-tu de ce bouton? suggère Janie en me montrant un gros bouton vert avec le mot MARCHE écrit dessus.

— Bien sûr, dis-je, j'y arrivais. Mais avant, j'essayais juste de trouver comment insérer le crayon dans le compacteur.

— Que penses-tu de cette ouverture? demande Janie. Il y est écrit PLACEZ LES PETITS OBJETS ICI.

Mince alors! Je dois le reconnaître : Janie sait comment s'y prendre avec un compacteur à déchets Gros Colosse.

— Bon travail, dis-je en sortant le crayon de ma poche et en le lui tendant. Tu l'insères dans la machine, et moi, je la mets en marche.

Janie saisit le crayon et me fait un signe de tête.

— Maintenant? demande-t-elle.

— Maintenant!

Elle lâche le crayon dans l'ouverture.

J'appuie sur le bouton.

Le compacteur se met à vibrer. D'abord doucement, puis de plus en plus fort jusqu'à ce qu'il produise un vrombissement.

118

Ensuite, il commence à compacter.

Nous l'entendons écraser, réduire en miettes et pulvériser.

Je n'arrive pas à le croire. Je hurle par-dessus le bruit de la machine :

— Ça fonctionne! Ça fonctionne vraiment! Ça détruit le crayon! Enfin!

— C'est super, dit Janie, mais au fond de moi, je ne peux pas m'empêcher de me sentir un tout petit peu triste pour lui.

Je hurle :

— Tu veux rire? Ce crayon porte malheur! Il veut notre mort... et il a presque réussi... Et toi, tu te sens triste pour lui?

Janie hausse les épaules.

— Je sais, c'est ridicule, dit-elle, mais c'est plus fort que moi.

Nous regardons le Gros Colosse faire son travail.

Il ne doit plus rester que des échardes de ce crayon à présent, me dis-je.

— Crois-tu que c'est fini? demande Janie.

— Ouais, lui dis-je. Ça doit. Je vais l'éteindre. Il faut que je trouve le bon bouton.

— Que penses-tu de ce bouton rouge sur lequel il est écrit ARRÊT?

Estomaqué, je lui demande :

— As-tu une de ces machines chez toi?

— Non! s'exclame-t-elle en riant. Mais c'est vraiment simple à faire fonctionner!

119

— Dans ce cas, pourquoi y a-t-il un aussi gros manuel d'instructions, dis-je en appuyant sur le bouton ARRÊT.

— Aucune idée.

J'ai beau l'avoir éteint, le Gros Colosse continue à compacter. En fait, il semble même augmenter d'intensité. Il est agité de violentes secousses. Des secousses tellement fortes que ça le fait se déplacer sur le sol.

J'appuie sur le bouton ARRÊT une nouvelle fois. Puis encore. Et encore.

Mais le compacteur ne s'arrête pas.

— Éteins-le, Henri! crie Janie.

Je crie, moi aussi :

— C'est ce que je fais! Ça ne fonctionne pas!

— Attends, lance Janie en me poussant. Laisse-moi essayer!

Elle donne de grands coups sur le bouton, mais il ne se passe rien, sinon que la machine continue à rugir de plus en plus fort.

Plus le compacteur avance vers nous et plus nous nous retrouvons pris au piège dans un coin de la remise. Nous étions tellement occupés à taper sur le bouton que nous n'avons pas remarqué sa manœuvre.

Maintenant que nous la remarquons, il est trop tard.

— Henri! crie Janie en me donnant un coup sur le bras. Nous ne pouvons plus sortir! Nous sommes coincés!

Je lève les yeux. Elle a raison.

Le Gros Colosse nous a poussés dans un coin. Il se rapproche de plus en plus.

Nous allons être écrasés contre le mur!

Je crie à Janie :

— Pousse!

Les bras tendus, nous poussons sur le compacteur du plus fort que nous le pouvons.

Mais c'est inutile.

Le Gros Colosse est trop lourd. Trop puissant. Nous sommes incapables de le tenir à distance.

Nous glissons sur le plancher.

Nous glissons vers notre affreux sort.

Chapitre 45

Gros Colosse

C'est alors que nous entendons Gaëlle crier.

— Henri! Janie! Où êtes-vous?

— Ici! appelons-nous. Derrière le compacteur!

J'ignore comment nous parvenons à l'entendre et elle à nous entendre malgré le bruit, mais nous y arrivons. L'instant d'après, nous la voyons sauter par-dessus la machine et atterrir entre nous deux.

— Je ne peux pas vous laisser seuls une minute! gronde-t-elle en poussant sur la machine de sa seule main valide.

— Nous voulions juste nous débarrasser du crayon! explique Janie.

— Vraiment? s'esclaffe Gaëlle. On dirait que c'est exactement le contraire qui se produit!

— Cesse de rire, dis-je. C'est sérieux!

— Je sais, répond Gaëlle. Moi aussi, je suis sérieuse!

En disant ça, elle cesse de rire et se met à grimacer en repoussant la machine vers le centre de la remise, même si l'un de ses bras est en écharpe.

Janie et moi échangeons un regard.

Nous savions que Gaëlle était forte — elle est la personne la plus forte de l'école —, mais nous ne savions pas qu'elle était forte à ce *point-là*.

Toutefois, pendant qu'elle pousse, la machine semble passer à la vitesse supérieure.

Le grondement fait place à un bruit de ferraille.

De la fumée sort du bas de la machine.

Des pièces se détachent et tombent. D'abord les boutons, puis les poignées et enfin, à notre grand étonnement, des panneaux entiers!

Des écrous, des boulons et des ressorts jaillissent dans les airs.

— Mettez-vous à l'abri! hurle Gaëlle. Je crois que ça va exploser!

Nous courons nous mettre à l'abri derrière un établi.

Le Gros Colosse est agité d'une violente secousse, puis il se désintègre sous nos yeux.

Il ne reste plus devant nous qu'un gros tas de morceaux de métal fumant.

Et devinez-vous ce qui se trouve au beau milieu de tous ces rebuts métalliques? Eh oui, le crayon!

Parfaitement intact.

Chapitre 46

Le crayon assassin

Après avoir récupéré le crayon, nous retournons en classe en laissant derrière nous, sur le plancher de la remise, le pas-si-Gros-Colosse maintenant en ruine.

— Pauvre M. Herbête, soupire Janie. Il va être très en colère.

— Oui, approuve Gaëlle. Je parie qu'après avoir vu les dégâts, il aura besoin d'une autre permission à terre.

— Comment ça, pauvre M. Herbête? dis-je avec force. Son stupide compacteur à déchets a failli nous compacter!

— Ce n'est pas la faute de M. Herbête *ni* du compacteur, fait remarquer Gaëlle. C'est la faute du crayon!

— Tu as raison, dis-je. Ce crayon de malheur est diabolique. Il nous aurait tués si tu n'étais pas arrivée.

— Tu nous as sauvé la vie! s'exclame Janie.

Gaëlle hausse les épaules.

— J'ai fait ce que je devais faire.

— Comment as-tu deviné où nous étions? lui demande Janie.

— J'ai remarqué que vous n'étiez pas en classe quand M. Desméninges a fait l'appel, répond Gaëlle. J'ai répondu à votre place, puis j'ai demandé à aller aux toilettes. Ce n'était pas difficile de deviner où vous étiez. J'ai suivi le bruit, tout simplement!

Nous réussissons à nous glisser dans la classe sans attirer l'attention de M. Desméninges. Il est plongé dans une discussion animée avec Paméla et Gina, au sujet de la meilleure nourriture pour les chevaux.

— Je vous dis que c'est la *crème glacée*, affirme-t-il. Les chevaux *adorent* la crème glacée!

— Non, objecte Gina. Les chevaux mangent du *foin*.

— Et de la paille hachée, ajoute Paméla. Les chevaux adorent ça.

— Mais pas autant que la crème glacée, insiste M. Desméninges.

— Je n'ai jamais vu un cheval manger de la crème glacée, tranche Gina en reniflant avec dédain.

— Moi non plus, ajoute Paméla.

— C'est parce qu'ils ont de la difficulté à tenir la cuillère! proteste M. Desméninges. Leurs sabots ne sont pas faits pour ça...

Etcetera, etcetera. M. Desméninges peut discuter de *n'importe quoi* avec n'importe qui.

Chapitre 47

4ᵉ grande leçon
de M. Desméninges

Les chevaux adorent la crème glacée. Si vous ne les voyez pas souvent en manger, c'est parce qu'ils ont de la difficulté à tenir la cuillère. Leurs sabots ne sont pas faits pour ça.

Chapitre 48

Une idée audacieuse

Olivier nous regarde nous asseoir avec un air méfiant.

— Où êtes-vous allés, tous les trois? demande-t-il.

— Nulle part, dis-je.

— Faux, réplique-t-il. Vous êtes allés *quelque part*.

— Zut! dis-je à Janie et à Gaëlle. Il est trop malin pour nous!

Nous allons rejoindre Lucas, qui est assis dans le coin lecture.

Il nous regarde avec anxiété.

— Est-ce que tout va bien?

— Non, dis-je. Pas vraiment.

Je lui raconte notre combat contre le Gros Colosse et mon rendez-vous manqué avec le Hummer de M. Dutonus.

Lucas hoche pensivement la tête.

— En fin de compte, chaque fois que tu essaies de te débarrasser du crayon, il t'arrive un malheur, c'est ça?

— C'est ça, dis-je.

— Et tu essaies de t'en débarrasser parce que chaque fois qu'on dessine quelqu'un avec ce crayon – ou même quelque chose d'inoffensif – un malheur arrive à cette personne?

— Tu as parfaitement compris.

Lucas hoche encore la tête.

— Alors peut-être que la seule chose qui peut détruire le crayon, c'est le crayon lui-même.

— C'est une très bonne idée, Lucas, dit Janie. N'est-ce pas, Henri?

— Il n'y a qu'un problème, dis-je. Je ne crois pas que le crayon ait envie de s'autodétruire.

— Non, réplique Lucas, mais si tu essayais de dessiner le crayon victime d'un malheur?

— Alors ce serait moi qui souffrirais! dis-je.

— Pas forcément, Henri, objecte Gaëlle. Pas si tu ne dessines que le crayon… et pas *toi*!

Je réfléchis aux paroles de Lucas et de Gaëlle.

Je vois où ils veulent en venir… mais je trouve ça dangereux.

J'entends un hennissement. Je me retourne. J'aperçois Jacob qui se promène à quatre pattes avec Paméla et Gina sur le dos. Elles tiennent une corde à sauter qui leur sert de rênes.

— Au galop, petit poney! lance Gina. Au galop!

C'est vraiment triste à voir.

Le crayon a fait de Jacob une pauvre bête de somme. Et dire que Jacob était le seul à vouloir sauver ce crayon de malheur!

Bien sûr, l'idée de Lucas et de Gaëlle est audacieuse, mais c'est la seule que nous ayons.

— Tentons le coup, dis-je en sortant le crayon de ma poche.

Chapitre 49

Le sort du crayon en dessin

Voici ce que je dessine.

- 1re case : Le crayon est au pied d'une falaise.
- 2e case : Un bloc de pierre de 50 millions de milliards de tonnes se trouve en haut de la falaise.
- 3e case : Un papillon volette près du bloc de pierre.
- 4e case : Le courant d'air provoqué par les ailes du papillon déloge le bloc de pierre.
- 5e case : Le bloc de pierre roule jusqu'au bord de la falaise.
- 6e case : Le bloc de pierre tombe.
- 7e case : Et tombe.
- 8e case : Et tombe.
- 9e case : Le crayon lève les yeux.
- 10e case : Le bloc de pierre s'écrase en plein sur le crayon.
- 11e case : Le bloc de pierre continue à rouler. Le crayon n'est plus qu'un petit tas de poussière.
- 12e case : Le papillon volette tout près. Le courant d'air provoqué par le battement de ses ailes soulève la poussière dans les airs et la fait disparaître.

Chapitre 50

Le sort du crayon

— C'est tellement bon, Henri! s'écrie Janie.

— Oui, vraiment bon! renchérit Gaëlle.

— J'ai peur, dit Lucas en s'éloignant de la table.

— Mais c'était ton idée! dis-je, exaspéré.

— Je sais, admet Lucas, mais j'ai peur quand même! Si le crayon découvrait notre plan?

— Je te promets que ça n'arrivera pas, dis-je. Et même si ça arrivait, le crayon est fichu maintenant!

— C'est un excellent dessin, Henri, dit une voix derrière nous. Meilleur que celui que Jacob avait fait, ça, c'est certain.

Nous nous retournons tous.

Olivier Rustaud nous observe, appuyé sur ses béquilles. Je lui demande :

— Que veux-tu, Olivier?

— J'admirais ton dessin, c'est tout! déclare-t-il. Ce n'est pas interdit par la loi à ce que je sache?

— Non, répond Gaëlle, mais il existe bel et bien une loi contre l'espionnage.

— Je n'espionne personne! proteste Olivier.

— Depuis combien de temps nous observes-tu? lui dis-je.

— Assez longtemps, répond Olivier en esquissant un léger sourire.

— Qu'est-ce que ça veut dire? gronde Gaëlle.

— Rien, dit Olivier en se redressant sur ses béquilles. À plus! lance-t-il en retournant cahin-caha vers son pupitre.

— Alors? demande Janie en le regardant s'éloigner. Que fait-on maintenant?

— On attend, lui dis-je.

— Combien de temps?

— Le temps qu'il faudra, dis-je.

Ce qui, grâce à Olivier, ne sera pas long du tout finalement.

Chapitre 51

Démonstration à la Dutonus

Au milieu de l'avant-midi, nous avons un cours d'éducation physique avec M. Dutonus.

Je laisse le crayon dans mon casier, prends mon sac de vêtements et vais me changer.

Le cours consiste en une de ces fameuses démonstrations de M. Dutonus.

La rencontre interscolaire d'athlétisme qui a lieu chaque année approche et M. Dutonus veut que nous soyons parfaitement familiers avec toutes les épreuves.

Pendant une heure, nous regardons M. Dutonus nous montrer comment partir en position accroupie lors d'une course, comment lancer un poids, comment lancer un javelot, comment lancer un disque, comment sauter en hauteur, comment faire un triple saut, comment sauter en longueur et comment se tenir sur un podium sans tomber.

Puis il nous demande d'aller nous changer et nous annonce qu'il nous fera d'autres démonstrations au prochain cours.

Une chose que nous attendons avec impatience…

— J'ai peur, dit Lucas pendant que nous marchons dans le corridor, vers nos casiers.

— Qu'est-ce qui t'effraie? dis-je.

— J'ai peur que le crayon découvre que c'était mon idée de lui faire utiliser son pouvoir contre lui-même.

— Ne t'inquiète pas, dis-je. Ce que ce crayon pense n'a plus d'importance maintenant. Il est condamné!

Lucas n'a pas l'air rassuré.

— J'ai quand même peur, dit-il.

— Tu peux avoir peur si tu veux, dis-je en mettant mon bras autour de ses épaules, mais je te le dis : il n'y a absolument rien à craindre!

C'est alors que j'aperçois la porte de mon casier.

Elle est complètement défoncée, couverte de bosselures... le genre de bosselures qui pourraient bien avoir été causées par, euh, voyons voir... le bout d'une béquille!

Je n'ai pas besoin de regarder dans mon casier pour comprendre ce que ça signifie.

Notre idée de retourner le pouvoir du crayon contre lui-même était bonne, mais nous avons oublié que, comme c'était le cas pour la patte de singe, les dessins du crayon ont l'habitude de devenir réalité de manière tout à fait inattendue.

Nous nous sommes encore fait avoir. Le crayon a disparu, oui... mais pas du tout de la manière dont nous l'avions imaginée. Il a été volé!

Et c'est facile de deviner par qui.

Même si je viens tout juste d'assurer Lucas qu'il n'avait rien à craindre, je sais que le contraire est vrai à présent.

133

On peut craindre *le pire*, maintenant qu'Olivier a ce crayon de malheur entre les mains.

— J'ai peur, répète Lucas en contemplant mon casier éventré.

— Moi aussi, lui dis-je.

Chapitre 52

Entrée par effraction

Je fixe mon casier des yeux.

Je respire à fond plusieurs fois en me demandant que faire.

Olivier n'est pas le plus malin de la classe. Il n'a aucune idée du pouvoir du crayon qu'il a volé. Il lui suffirait de quelques traits insouciants pour faire des ravages et provoquer des catastrophes à grande échelle. Le sort de l'école, et probablement celui du monde entier, est en jeu.

À cet instant, Janie, Jacob et Gaëlle font leur apparition dans le corridor.

Janie a le souffle coupé en apercevant mon casier.

— Comment quelqu'un peut-il *faire* une chose pareille? s'indigne-t-elle.

— Facile, lui dis-je. Tu prends une béquille et tu t'en sers pour frapper la porte encore et encore, jusqu'à ce qu'elle cède.

— Ce n'est pas ce que je voulais dire. Je me demandais comment une personne peut se montrer aussi méchante avec une porte de casier.

— Tu ferais mieux de demander à Olivier Rustaud, dis-je.

— Tu crois que c'est Olivier qui a fait ça? demande Jacob. Il m'a l'air plutôt gentil.

— Il *n'est pas* gentil, dis-je. Je te l'ai dit pendant l'assemblée, l'autre jour. Tu te souviens?

Jacob me regarde avec l'air de ne rien comprendre.

— Non, dit-il.

Pauvre Jacob! Son amnésie est plus grave que je ne le pensais. En m'adressant à tous, je déclare :

— Je *sais* que c'est lui qui a fait ça.

Gaëlle fronce les sourcils.

— Impossible, objecte-t-elle.

— Pourquoi? dis-je.

— Il était avec nous!

— Non, dis-je. Il s'est sorti du cours d'éducation physique à cause de sa jambe cassée. M. Desméninges lui a dit d'aller plutôt à la bibliothèque.

— Henri a raison, confirme Janie. Je l'ai aperçu à la bibliothèque en venant ici.

— Quand? dis-je.

— Il y a un instant!

— Que faisait-il?

— Je n'ai pas vraiment remarqué, répond Janie en y réfléchissant un peu. Il avait l'air de travailler à quelque chose.

Ses paroles me glacent le sang.

Nous avons vraiment de gros ennuis.

Olivier ne travaille jamais à la bibliothèque. Il s'amuse toujours à embêter les autres. S'il est réellement en train de travailler, ça ne peut signifier qu'une chose : il se sert du crayon pour dessiner quelque chose. Et je suis certain que nous figurons tous dans son chef-d'œuvre.

— Il n'y a pas un moment à perdre! dis-je. Nous devons l'arrêter!

— Compte sur moi, lance aussitôt Gaëlle. Il me reste encore un bras valide.

— Je vous accompagne, propose Jacob. J'ai promis à ces gentilles filles folles de chevaux de les rejoindre à la bibliothèque.

— Je viens aussi, dit Lucas. J'aurais peur de rester tout seul ici!

— Tu ne vas rien faire de vilain à Olivier, n'est-ce pas Henri? demande Janie.

— Non, à moins d'y être obligé, lui dis-je. Il faudra faire ce qui doit être fait. Je suis pas mal certain que lui s'apprête à nous faire quelque chose de pas très gentil.

— Je m'en fiche, répond Janie. On ne répare pas une injustice avec une autre! Je vous accompagne afin de m'assurer que vous jouez tous selon les règles!

— Nous ne jouons pas! dis-je avec impatience. Tu ne comprends donc pas? C'est pour vrai!

La sonnerie du dîner retentit.

— C'est parti! dis-je.

Chapitre 53

Olivier sous surveillance

Nous nous arrêtons devant la bibliothèque.

Tous, sauf Jacob, qui est entré pour retrouver Gina et Paméla. Non seulement a-t-il perdu la mémoire, mais le pauvre semble aussi avoir perdu la raison.

Par la fenêtre, nous apercevons Olivier. Il est assis à l'une des tables d'étude de groupe, penché sur une feuille, le crayon à la main.

— C'est bon, dis-je. Nous devons faire preuve de ruse. Nous ne pouvons pas entrer tout bonnement dans la bibliothèque, tous en même temps.

— Pourquoi pas? demande Gaëlle.

— Parce qu'il pourrait paniquer et faire une bêtise, dis-je. Je veux dire, *dessiner* une bêtise.

— Bon point, approuve Gaëlle.

J'examine avec soin la disposition des lieux. Les tables d'étude sont regroupées à un bout de la pièce. Huit étagères de livres s'alignent derrière, suivies de quelques présentoirs rotatifs et d'ordinateurs.

— Nous devons entrer discrètement dans la bibliothèque, dis-je. Un à la fois. Nous nous retrouverons derrière la première étagère de la rangée, celle qui est près de la table où est assis Olivier. De cette manière, nous verrons ce qu'il dessine. J'y vais le premier. Laissez-moi 30 secondes pour me mettre en position. Ensuite, la prochaine personne entre. D'accord?

Tout le monde hoche la tête.

J'entre dans la bibliothèque.

M. Sainte-Paix est assis au comptoir. Il lève les yeux au moment où j'entre et met son doigt sur ses lèvres.

— Chut! fait-il.

Je fais oui de la tête et me faufile en douce jusqu'à l'étagère qui se trouve derrière la table où Olivier est assis.

Gaëlle entre ensuite, suivie de Lucas et enfin de Janie.

Olivier est tellement absorbé par son dessin qu'il ne lève pas les yeux.

Il ne lève même pas les yeux quand M. Sainte-Paix réprimande Paméla et Gina qui chevauchent Jacob autour des tables d'étude.

— C'est une bibliothèque ici, pas une piste de course, rappelle-t-il aux filles pour la un-million-cinq-cent-soixante-et-unième fois, environ.

Paméla et Gina hochent gravement la tête et conduisent Jacob au bout de la rangée d'étagères, là où M. Sainte-Paix ne peut pas les voir.

Pendant ce temps, nous nous retrouvons tous derrière l'étagère la plus proche de la table d'Olivier.

— Chut! dis-je au groupe. Pas un mot!

Je déplace quelques livres pour jeter un coup d'œil au dessin d'Olivier.

C'est pire que tout ce que j'aurais pu imaginer.

Olivier a créé une BD intitulée « AVALANCHE! Mettant en vedette Henri Tournelle, Jacob Lepitre, Gaëlle Gaillard, Lucas Latrouille et Janie Ladouceur ».

Chapitre 54

AVALANCHE! Mettant en vedette Henri Tournelle, Jacob Lepitre, Gaëlle Gaillard, Lucas Latrouille et Janie Ladouceur

- 1re case : Jacob, Gaëlle, Lucas, Janie et moi sommes assis sur une couverture. Nous pique-niquons au pied d'une montagne à la cime enneigée.
- 2e case : La calotte de neige se détache de la cime de la montagne.
- 3e case : Nous sommes ensevelis sous la calotte de neige de la cime de la montagne.
- 4e case : Cinq pierres tombales sont plantées en cercle dans la neige... une pour chacun de nous!

Chapitre 55

Pire que pire

Je fais signe aux autres de s'accroupir.

— Nous sommes fichus! chuchote Lucas.

— Seulement si nous pensons de cette manière, dis-je. Nous devons faire quelque chose!

— J'ai un plan, murmure Gaëlle. Nous sautons sur Olivier, nous lui arrachons le dessin et nous le mettons en pièces!

— C'est trop tard, dis-je. Il a déjà fait le dessin.

— Et si nous lui demandions gentiment de l'effacer? suggère Janie.

— Écoute, nous avons affaire à Olivier Rustaud, dis-je d'un ton sifflant. Il ne sait même pas ce que le mot « gentil » veut dire.

Puis, alors que je me dis que la situation ne pourrait pas être pire qu'elle l'est en ce moment, elle empire!

Fred Rustaud entre dans la bibliothèque et avance jusqu'à la table d'Olivier.

— Salut, Oli! dit-il. Qu'est-ce que tu fais ici? C'est l'heure du dîner!

— Ouais, je sais, répond Olivier, mais j'ai piqué ce crayon à Tournelle.

Fred pouffe de rire.

142

— Tu as piqué un *crayon*? Pourquoi?

— Ce n'est pas un crayon ordinaire, explique Olivier. Il a des pouvoirs magiques. Tout ce que tu dessines en l'utilisant devient réalité!

— Oh! Un crayon *magique*, dit Fred. Eh bien, tout s'explique! Est-ce que je peux te poser une question?

— Quoi? demande Olivier.

— Es-tu tombé sur la tête quand tu es tombé du toit?

— Non! réplique Olivier. Je sais que ça a l'air idiot, mais c'est vrai. D'ailleurs, notre accident n'était pas un accident.

— Je le sais, répond Fred. Tout ça, c'était *ta* faute.

— Non, rétorque Olivier, ce n'était pas ma faute du tout. C'était la faute du crayon. J'ai entendu Henri et sa bande en parler. Apparemment, Jacob Lepitre a utilisé ce crayon pour dessiner une bande dessinée où nous tombons en parachute et nous nous écrasons au sol, l'un par-dessus l'autre. C'est à cause de ce dessin que nous avons eu un accident.

Fred éclate de rire.

— Je crois qu'ils t'ont bien eu, petit frère. C'était seulement une coïncidence.

— Non, c'est la vérité, Fred! s'exclame Olivier. Alors, pour me venger, je leur ai volé le crayon et j'ai créé cette bande dessinée dans laquelle ils sont tous ensevelis sous une avalanche.

Fred prend la feuille des mains d'Olivier et l'examine.

— Hum! Très beau dessin, dit-il. Je ne savais pas que tu dessinais aussi bien.

— Je ne dessine pas bien! proteste Olivier. C'est ce que j'essaie de te dire! C'est le crayon. On dirait qu'il dessine tout seul!

— Ouh! Ça fait peur! se moque Fred en agitant le crayon devant le visage d'Olivier.

— Ouais, ça fait peur, répond Olivier sans relever la moquerie de Fred. Ils sont tous terrifiés!

— Ah! C'est pour *ça* qu'ils se cachent tous derrière l'étagère, dit Fred.

Nous figeons sur place.

Zut! Il sait que nous sommes là!

Personne ne parle. Peut-être qu'il nous oubliera si nous demeurons tout à fait silencieux.

— Je sais que vous êtes là! lance Fred en s'approchant et en se postant au bout de l'étagère.

— J'ai peur! murmure Lucas.

— Nous avons tous peur! dis-je tout bas.

— C'est de ça que vous avez peur? se moque Fred en agitant le crayon devant nous. De ce siniiiiistre petit crayon? Avec sa siniiiiistre petite gomme à effacer en forme de tête de mort? Ouh!

Chapitre 56

Avalanche!

— Ce n'est pas une blague, Fred, dis-je. Tu ne sais pas du tout avec quoi tu joues!

— Vraiment? raille Fred. Eh bien, vous ne saviez pas du tout avec *qui* vous jouiez quand Jacob a créé cette bande dessinée nous mettant en vedette, Olivier et moi.

— Je te jure que nous ne connaissions pas le pouvoir du crayon à ce moment-là! dis-je.

— Tant pis, riposte Fred. De toute façon, vous n'auriez pas dû faire de dessins se moquant de moi. Je suis sensible, vous savez.

— Vraiment? se moque Gaëlle.

— Naaan, je rigole, répond Fred en savourant sa propre blague.

Mais il ne rigole pas autant qu'Olivier qui est pratiquement en train de mourir de rire.

— Tu me fais crouler de rire, Fred! s'esclaffe Olivier.

— Je vais te faire crouler pour de bon si tu n'arrêtes pas de rire, menace Fred sans le moindre sourire, à présent. Ce n'est pas *si* drôle que ça!

— CHUT! fait M. Sainte-Paix.

— Désolé, M. Sainte-Paix! s'excuse Fred. Je dois juste leur dire un mot encore.

— Merci, Frédéric, dit M. Sainte-Paix.

M. Sainte-Paix, comme tous les autres enseignants de l'école, croit à tort que Fred Rustaud est un élève modèle.

Tout à coup, on entend un grand fracas.

Suivi d'un autre grand fracas.

Puis d'un autre.

Puis d'un autre!

Fred a le souffle coupé. Il échappe le crayon et recule d'un bond.

On entend un autre grand fracas, puis l'étagère à notre droite commence à basculer vers nous. Tous les livres qu'elle contient tombent sur nous et autour de nous. Puis l'étagère elle-même s'écrase contre l'étagère à notre gauche et la fait basculer à son tour.

Tout devient noir.

Chapitre 57

Enterrés vivants

Je cligne des yeux.

Il fait noir.

Je cligne encore des yeux.

Il fait toujours noir.

Le noir, c'est mauvais. Mais cligner des yeux, c'est bon. Ça signifie que je suis vivant.

Mais les autres?

Nous sommes ensevelis sous le poids combiné de sept étagères et de tous les livres qu'elles contenaient.

J'essaie désespérément de crier, mais le poids des livres qui m'écrasent le corps m'empêche presque de respirer et complètement de parler. Bien sûr, il y a aussi le fait que nous nous trouvons dans la bibliothèque et que crier est strictement interdit selon les règlements de M. Sainte-Paix. Malgré tout, c'est surtout le fait d'être quasiment incapable de respirer qui m'empêche de crier.

J'essaie de bouger mes jambes, mais elles sont coincées.

Mes bras le sont aussi, sauf les doigts de ma main droite.

Je remue mes doigts en essayant furieusement de créer assez d'espace pour pouvoir bouger ma main.

Je finis par réussir à la bouger. Puis je m'affaire à créer assez d'espace pour pouvoir bouger mon bras.

Les efforts que je déploie me font haleter et suffoquer, mais je n'ai pas le choix. Je dois continuer. Il n'est pas question que je laisse le crayon gagner.

Au bout de ce qui me semble des minutes d'efforts assidus, je parviens à libérer mon bras et, ensuite, à retirer assez rapidement les livres autour de moi pour créer un petit espace vital dans lequel je peux bouger.

— Allô? dit une voix.

C'est Lucas.

— Lucas! dis-je. Où es-tu?

— Je l'ignore, répond-il. Toi, où es-tu?

— Ici, dis-je.

— Où ça, ici? demande Lucas.

La voix de Lucas semble venir de quelque part devant moi. Je déplace quelques livres et je le vois.

Maintenant que mes yeux sont habitués à l'obscurité, je distingue son petit visage triste et effrayé.

— Est-ce que ça va? dis-je.

— Je crois que oui, répond Lucas. Qu'est-ce qui s'est passé?

— C'était une avalanche! dis-je. De livres.

La bande dessinée d'Olivier nous montrant ensevelis sous une avalanche est devenue réalité.

Ça ne s'est tout simplement pas réalisé de la manière dont il l'avait imaginé.

Nous sommes ensevelis sous une avalanche, c'est vrai, mais pas sous une avalanche de neige... sous une avalanche de livres!

— J'ai peur, dit Lucas.

— Au moins, tu es vivant, lui dis-je.

— Oui, admet-il, mais est-ce que les autres le sont?

— Moi, je suis vivante! lance Gaëlle en poussant une pile de livres et en introduisant sa tête dans l'ouverture.

— Où est Janie?

— Janie! dis-je très fort.

Pas de réponse.

— JANIE!

— Je suis ici, clame-t-elle joyeusement, sa tête sortant de sous une pile de livres.

— Chut, là-dessous! lance la voix de M. Sainte-Paix, quelque part au-dessus de nous.

— M. Sainte-Paix! hurle Lucas. Aidez-nous! S'il vous plaît! Nous sommes coincés!

— Chut! répond M. Sainte-Paix.

— Mais nous sommes coincés!

— J'en suis tout à fait conscient, répond M. Sainte-Paix. Paméla et Gina chevauchaient Jacob près de l'étagère du bout et elles l'ont fait basculer. En basculant, l'étagère a créé un effet domino, d'où ce résultat malheureux : le contenu de huit étagères de livres est maintenant éparpillé sur le plancher dans le désordre le plus complet.

— Sans compter que *nous sommes coincés* dessous! lui rappelle Gaëlle.

— C'est bon! C'est bon! répond M. Sainte-Paix. Calmez-vous. Et taisez-vous. Je travaille à vous sortir de là.

— Mais enfin, qu'est-ce qui prend autant de temps?

dis-je.

— Voyons, je ne peux pas retirer les livres n'importe comment! s'étonne M. Sainte-Paix. Je dois procéder de façon systématique. En ordre alphabétique. C'est une bibliothèque ici, vous savez, pas un marché aux puces.

Chapitre 58

Des minutes...

Les secondes se changent en minutes...

Chapitre 59

Des heures...

Les minutes se changent en heures...

Chapitre 60

Des jours...

Les heures se changent en jours...

Chapitre 61

Des semaines...

Les jours se changent en semaines...

Chapitre 62

Des mois...

Les semaines se changent en mois...

Chapitre 63

Des années...

Les mois se changent en années...

Enfin, ça ne prend probablement pas autant de temps à M. Sainte-Paix pour retirer tous les livres en ordre alphabétique et pour les placer en belles petites piles bien droites, mais à nous, ça nous paraît interminable.

Chapitre 64

Sauvés!

— Croyez-vous que nous allons sortir un jour? demande Lucas.

— Oui, bien sûr! dis-je.

— Mais qu'est-ce qui va arriver si nous ne sortons pas d'ici? demande-t-il encore. Si nous restons coincés ici pour toujours? Qu'est-ce que nous allons manger? Devrons-nous nous manger les uns les autres? Ça fera de nous des cannibales. Je ne veux pas être un cannibale. J'ai peur des cannibales!

— Allons, ressaisis-toi, Lucas! ordonne Gaëlle. Tu deviens hystérique!

— Oui, calme-toi, Lucas, dit Janie d'une voix beaucoup plus calme. Tu n'as pas à devenir cannibale si tu ne le veux pas. Et c'est pareil pour chacun de nous.

— Mais qu'allons-nous manger? insiste Lucas. Des livres?

— Il n'y aura pas de dégustation de livres dans ma bibliothèque! s'écrie M. Sainte-Paix en retirant enfin les livres qui bouchaient le bout de la rangée.

Notre espace restreint est tout à coup inondé de lumière.

Nous apercevons M. Sainte-Paix, Fred, Olivier, Gina,

Paméla et Jacob qui nous observent par l'ouverture.

Je ne peux pas m'empêcher de crier :

— Alléluia! Nous sommes sauvés!

— Chut! réplique M. Sainte-Paix. Moins fort! C'est une *bibliothèque* ici, vous savez, pas une église!

Chapitre 65

Décollage!

Quand M. Sainte-Paix a enfin retiré lentement et minutieusement autant de livres que possible, il réussit – avec l'aide de Gina, de Paméla et de Jacob – à soulever l'étagère qui est par-dessus nous.

Fred et Olivier, qui ne peuvent pas aider en raison de leurs blessures, essaient tant bien que mal de cacher leur déception en constatant que nous n'avons à peu près aucune blessure.

En fait, le seul d'entre nous qui semble avoir souffert d'une blessure, c'est Jacob. Il se frotte la tête d'un air confus.

— Est-ce que ça va, Henri? demande-t-il.

— Tu as retrouvé la mémoire! dis-je, stupéfait. C'est super!

— Il a reçu un livre sur la tête quand nous avons heurté l'étagère, explique Gina.

— Là, pauvre petit poney, murmure doucement Paméla en caressant les cheveux de Jacob.

Jacob éloigne vivement sa tête et lance un regard furieux à Paméla.

— Arrête ça tout de suite! grogne-t-il.

— Qu'est-ce qui se passe, Jacob? demande Gina. Tu

ne veux plus jouer au poney?

— Non! s'exclame Jacob avec un air horrifié. Jamais de la vie!

Gina et Paméla échangent un regard triste.

Fred et Olivier sourient d'un air narquois.

Gaëlle, Lucas et moi nous relevons et enjambons les livres sur lesquels nous étions couchés. C'est alors que j'aperçois le crayon sur le tapis.

Sauf que ce n'est plus un crayon à présent.

Ce n'est qu'un petit tas d'éclats de bois écrasé. Il a été complètement mis en pièces par le poids de l'étagère. Il ne reste plus rien de la gomme à effacer non plus. Juste un petit amas de poussière blanche.

— Regardez, dis-je aux autres. Il ne pouvait pas être enterré, jeté, écrasé ou compacté, mais le seul pouvoir contre lequel il ne pouvait rien, c'était le sien.

— Ouais, dit Gaëlle. Il a dessiné sa propre fin.

— Pauvre crayon, soupire Janie en secouant la tête. Si seulement il avait pu utiliser son pouvoir pour faire le bien au lieu de faire le mal.

Je mets ma main sur l'épaule de Lucas.

— Tu peux cesser de t'inquiéter, à présent, lui dis-je. Le cauchemar est fini.

— Je ne cesserai jamais de m'inquiéter, réplique Lucas en esquissant un pâle sourire, mais au moins, maintenant, j'ai un sujet d'inquiétude de moins sur ma liste.

Jacob roule les yeux.

— Je n'en reviens pas! lâche-t-il. Vous ne comprenez donc pas que c'était une *coïncidence*. Ce n'était qu'une *malchance* si les étagères ont basculé et si le crayon a été écrabouillé. Le crayon n'était pas ensorcelé. *C'était le meilleur crayon au monde. Et maintenant, il est fichu!*

— CHUT! hurle M. Sainte-Paix. ARRÊTE DE CRIER! DOIS-JE TE RAPPELER QUE C'EST UNE BIBLIOTHÈQUE, ICI?

Chapitre 66

Le chapeau magique de M. Desméninges

Le lendemain matin, M. Desméninges arrive en classe vêtu d'un habit à queue-de-pie et coiffé d'un chapeau haut-de-forme. Il tient une canne noire toute brillante.

— Allons, 5B, assoyez-vous, s'il vous plaît, déclare-t-il. Le spectacle va bientôt commencer.

Nous nous ruons tous à notre place.

La sonnerie retentit.

M. Desméninges ôte son haut-de-forme noir et le pose à l'envers sur son bureau. Puis il donne deux petits coups de canne sur le bord du chapeau et dit :

— Abracadabra!

Plongeant la main dans le chapeau, il en sort un joli lapin blanc tout duveteux. Un *vrai* joli lapin blanc tout duveteux bien *vivant*.

— Oh! s'exclame Janie. Il est trop *mignon*!

Nous applaudissons tous.

M. Desméninges remet le lapin dans le chapeau, donne deux autres petits coups sur le bord et retourne le chapeau à l'endroit. Le lapin a disparu.

— Ooooh! se désole Janie. Faites-le réapparaître! S'il vous plaît!

M. Desméninges pose de nouveau le chapeau à l'envers sur son bureau.

— Abracadabra! s'exclame-t-il en donnant deux coups de canne sur le bord du chapeau.

Ensuite, il plonge la main et en sort le lapin, une fois encore.

— Qu'y a-t-il, Lucas? demande Janie.

Je jette un coup d'œil vers lui. Comme d'habitude, Lucas est blême et il a les yeux écarquillés.

— J'ai peur des lapins magiques, explique-t-il.

— Tu n'as rien à craindre, le rassure M. Desméninges. Le lapin n'est pas *magique*. Je vous fais simplement ce qu'on appelle un tour de passe-passe. Ce lapin est parfaitement normal, je te l'assure.

— Il n'est pas normal, objecte Janie. Il est *adorable*. Est-ce que je peux le prendre, s'il vous plaît, monsieur Desméninges?

— Bien sûr, répond celui-ci en l'apportant au pupitre de Janie et en le plaçant dans ses bras.

— Tu vois? dit Janie à Lucas en caressant le lapin. Il est mignon et tout à fait inoffensif.

Lucas se penche vers elle et caresse le lapin avec hésitation.

— Il est doux, dit-il.

— Oui, Lucas, dit M. Desméninges, si tu y penses bien cela fait quatre pattes de lapin. Ce qui, par conséquent, est quatre fois plus chanceux que la patte de lapin que tu as.

Lucas sourit en songeant à cette agréable vision des

163

choses et il caresse le lapin plus hardiment.

— Parlant de pattes de lapin, puis-je utiliser la tienne pour exécuter mon prochain tour? demande M. Desméninges en la prenant sur le pupitre de Lucas.

Lucas essaie de la lui ôter, mais il n'est pas assez vite.

— Hum... Je ne suis pas certain, monsieur, dit-il. Vous ne pouvez pas utiliser autre chose?

— Non, ceci serait parfait, répond M. Desméninges. Ne t'inquiète pas. Je vais te l'emprunter quelques minutes seulement. Je vais te la rendre ensuite.

Il prend son haut-de-forme sur son bureau et y laisse tomber la patte de lapin.

— Abracadabra! lance-t-il en donnant deux coups de sa canne noire sur le bord du chapeau.

Puis il renverse celui-ci. La patte de lapin ne tombe pas.

Elle a disparu!

Toute la classe applaudit, sauf Lucas.

Puis M. Desméninges donne deux coups de canne sur le bord du chapeau et répète :

— Abracadabra!

Mais la patte de lapin ne réapparaît pas. Ce qui, j'imagine, n'était pas censé se produire, car M. Desméninges a l'air vraiment étonné, puis perplexe. Il regarde dans le chapeau.

Lucas est pris de panique.

— Ma patte de lapin! s'écrie-t-il d'une petite voix aiguë.

M. Desméninges fronce les sourcils en fixant le fond du chapeau.

— Ne t'inquiète pas, Lucas, dit-il. La patte est là. On dirait seulement qu'elle est… coincée, ma parole.

— Et si vous ne pouvez pas la sortir? demande Lucas. Je n'aurai plus jamais de chance!

— Caresse encore le lapin, suggère Janie à Lucas en lui déposant l'animal entre les bras. Ça va te calmer.

Lucas fixe le haut-de-forme de M. Desméninges tout en caressant machinalement le lapin.

Il ne semble pas calme du tout.

Pendant ce temps, M. Desméninges continue à donner des coups de canne sur le bord de son chapeau en essayant diverses formules magiques.

— Abracadabra… Sim sala bim… Tapeti, topeti, tou…

Mais la patte de lapin ne réapparaît toujours pas.

— Peut-être que si je remettais le lapin dans le chapeau, ça aiderait à déloger la patte de lapin, propose M. Desméninges en tendant les mains vers le lapin.

Lucas serre l'animal tout contre lui.

— Non, dit-il. Vous ne pouvez pas le prendre. Et si vous n'arriviez plus à le faire réapparaître?

— Non, ne le faites pas disparaître, supplie Janie. Gardons-le. Il pourrait devenir la mascotte de notre classe. S'il vous plaît, monsieur Desméninges, dites oui!

— Je suis certain que ça nous porterait chance à tous, monsieur, renchérit Lucas. Comme vous l'avez dit, il a quatre pattes de lapin et ça, c'est quatre fois plus chanceux qu'une seule.

M. Desméninges regarde leurs visages suppliants.

— Bon, d'accord, finit-il par dire. Nous lui trouverons une cage et il sera la mascotte de notre classe.

— Merci, monsieur Desméninges! s'exclame Janie.

— Pouvons-nous avoir un poney aussi? demande Gina.

— Oui, renchérit Paméla. Pourriez-vous en faire sortir un de votre chapeau?

— Non, je crois que j'en ai fini avec mon chapeau pour aujourd'hui, répond M. Desméninges en regardant dedans une fois de plus avec une mine perplexe.

— Oooooh! soupirent les jumelles, déçues.

— Désolé, dit M. Desméninges, mais les chapeaux magiques n'en font parfois qu'à leur tête.

Florence note cette déclaration avec application.

— Allons-nous avoir un test là-dessus? demande-t-elle.

Chapitre 67

5ᵉ grande leçon
de M. Desméninges

Les chapeaux magiques n'en font parfois qu'à leur tête.

Chapitre 68

Le dernier chapitre

Voilà, c'était mon histoire.

Juste au cas où vous vous poseriez la question, elle est tout à fait véridique.

Dans les moindres détails.

Si jamais vous visitez Centreville et que vous passiez, par hasard, devant l'école Sudest de Nordouest de Centreville, n'hésitez pas à vous y arrêter.

Nous sommes très faciles à trouver. Notre classe est la première à gauche, en haut de l'escalier.

Et notre enseignant porte un veston violet.

Mais n'oubliez pas de passer d'abord par la réception pour vous annoncer et signer le livre des visiteurs.

Essayez de faire vite. Comme je crois l'avoir déjà mentionné, Mme Rabat-Joie n'aime pas les gens qui lui font perdre son temps.

De toute façon, ça sera super de vous voir. Et puis, si vous avez aimé cette histoire, ne vous inquiétez pas : j'en ai plein d'autres à vous raconter!

Toutes aussi véridiques les unes que les autres.

Dans les moindres détails.